S0-BDG-655

LIMITES À LA COMPÉTITIVITÉ

Groupe de Lisbonne

LIMITES À LA COMPÉTITIVITÉ

Vers un nouveau contrat mondial

Boréal

Les Éditions du Boréal sont inscrites au Programme de subvention globale du Conseil des Arts du Canada.

Conception graphique : Gianni Caccia

Photographie de la couverture : Alexandre Sipos

Dépôt légal : 1er trimestre 1995
Bibliothèque nationale du Québec

Diffusion au Canada : Les Éditions du Boréal

Données de catalogage avant publication (Canada)

Groupe de Lisbonne

Limites à la compétitivité : vers un nouveau contrat mondial
ISBN 2-89052-672-0

1. Concurrence internationale. 2. Relations économiques internationales. 3. Commerce international. 4. Organisation internationale. I. Groupe de Lisbonne.

HF1414.L55 1995 338.6'048 C95-940206-3

Groupe de Lisbonne

João Caraça
Lisbonne

Philippe de Woot
Bruxelles

Gianfranco Dioguardi
Milan

Louis Emmerij
Washington

Emilio Fontela
Madrid

Seiko Hirata
Tokyo

Pierre-Marc Johnson
Montréal

Claude Julien
Paris

Terry Karl
San Francisco

Daniel Latouche
Montréal

Robert McCormick-Adams
Washington

Riccardo Petrella
Bruxelles

Ken Prewitt
New York

Saskia Sassen
New York

Joel Serrão
Lisbonne

Luc Tissot
Lausanne

Taizo Yakushiji
Tokyo

Hirokuyi Yoshikawa
Tokyo

Aristide Zolberg
New York

Des *Limits to Competition* aux *Limites à la compétitivité*

Ce texte a eu de nombreuses vies, linguistiques et autres.

Pour sa première incarnation «officieuse», il s'est présenté en anglais, même si bon nombre de sections avaient d'abord été pensées et écrites dans d'autres langues, notamment en français.

La première version «officielle» a été portugaise — à tout seigneur tout honneur — (Limites a Competição), *puis sont survenues coup sur coup une version italienne* (Limiti alla competizione) *et néerlandaise* (Grenzen aan de Concurrentie). *Bientôt paraîtront des éditions anglaise, espagnole, japonaise, russe et allemande.*

Dans la mesure du possible, nous avons laissé le génie de chaque langue s'exprimer pleinement dans chaque version. C'est ce qui explique pourquoi une comparaison permettrait de découvrir, au détour de quelques paragraphes, des nuances de style et d'appréciation. Selon que l'on est à Paris ou à Tokyo, à Montréal ou à Milan, on ne voit jamais le monde tout à fait de la même manière. Et c'est tant mieux.

La coordination de la version française a été assurée par Daniel Latouche de l'Institut national de la recherche scientifique (Québec). Lui seul doit être tenu responsable des ajustements mineurs qu'il a fait subir au texte. Pierre-Marc Johnson et Riccardo Petrella l'ont cependant aidé dans cette tâche.

Vu le désir du Québec de participer de façon originale au nouveau concert des nations et des sociétés, il ne faut pas se surprendre si c'est son ministère des Relations internationales qui a assuré les coûts de traduction de cette première réflexion du Groupe de Lisbonne. À ce propos, nous tenons à remercier M. Bernard Landry, Vice-Premier ministre et ministre des Affaires internationales, de l'Immigration et des Communautés culturelles qui s'est souvenu de l'époque encore récente où, comme professeur d'économie politique internationale à l'Université du Québec à Montréal, il était un membre actif de cette société civile mondiale sur laquelle nous fondons tant d'espoir.

Remerciements

Sans l'appui de la Fondation Calouste Gulbenkian, *Limites à la compétitivité,* ainsi que son ancêtre immédiat, *Portugal 2000,* un essai prospectif sur l'avenir de ce pays, n'auraient jamais vu le jour.

Sans Riccardo Petrella, le directeur du Programme FAST de la Commission de l'Union européenne et professeur à l'Université catholique de Louvain, le Groupe de Lisbonne ne serait encore qu'une idée. Sa direction ferme et éclairée a fait toute la différence.

Sans les 19 membres du Groupe de Lisbonne, ce livre n'aurait jamais été pensé, débattu, argumenté et, finalement, écrit.

Sans Sylvie Laperrière (Montréal), la version française dormirait encore sur les tablettes, et sans les services de secrétariat et de cartographie de l'Institut national de la recherche scientifique, cette version française attendrait encore d'être corrigée et mise en pages. Nadine Robberecht, Hélène Henderson et Anne Dufour (Bruxelles) ont travaillé quant à elles à la préparation de la version anglaise du texte. Et quel travail ce fut, considérant le fait qu'il s'agissait du produit d'un comité de 19 personnes, rédigé principalement par un Italien écrivant en anglais mais pensant en français.

Nos remerciements les plus sincères vont aussi à Angelo Reati de la Direction générale des Affaires économiques de la Commission de l'Union européenne, Jean-Benoît Zimmermann, professeur à l'Université de Marseille, Henk Overbeek, professeur à l'Université d'Amsterdam, René Dreifuss, professeur à l'Université fédérale de Rio de Janeiro, Lucio Ugo Businaro, du Centro Studi Sistemi à Turin, Patrick Bellon, professeur à l'Université Paris-Sud, Paolo Logli de la

Direction générale sur le développement et la coopération de la Commission de l'Union européenne, Mohamed L. Bouguerra, professeur à l'Université de Tunis, Bruno Amoroso, professeur à l'Université Roskilde, au Danemark, et à Daniel Drache, professeur à l'Université York de Toronto.

Enfin, c'est un plaisir et un honneur de remercier le Dr Mario Soares, président de la République du Portugal, dont l'appui au Groupe de Lisbonne s'est manifesté dès sa création en 1992. Sa confiance et son soutien nous ont inspirés jusqu'à la fin.

INTRODUCTION

Des buts pour la planète

Le présent livre s'intéresse au rôle que jouent la compétitivité et la concurrence dans le cadre de la mondialisation de l'économie. Il analyse successivement les bouleversements économiques qui marquent nos différentes sociétés, l'expansion des sociétés multinationales et le rôle des États dans l'évolution de la planète. Il traite des configurations émergeant du nouveau système mondial et examine les conditions et les moyens nous permettant de donner un autre sens à la direction du monde.

Limites à la compétitivité se penche plus particulièrement sur la question suivante: la concurrence et la compétitivité peuvent-elles régir la planète et constituer l'instrument par excellence pour résoudre les problèmes d'ordre environnemental, démographique, économique et social, de plus en plus aigus, qui assaillent la terre entière?

Une nouvelle ère, celle de la concurrence et de la compétition

La concurrence, de «concurrencer», désigne des forces poursuivant le même but. De son côté, le mot «compétition», du latin «*cum petere*», veut dire «rechercher ensemble».

La concurrence est un outil puissant de la vie économique. Nous le reconnaissons d'emblée et ce serait une erreur d'appréciation majeure que de voir dans ce livre un manifeste contre la concurrence. La concurrence utilisée pour exploiter efficacement les ressources naturelles et trouver de nouvelles façons de satisfaire, à des coûts moindres et avec une qualité accrue, les besoins personnels et collectifs a largement contribué à hausser le bien-être et la qualité de vie des gens. L'une des forces motrices de l'innovation technologique et de l'essor de la productivité, la concurrence, a rendu possibles des réalisations autrement impensables et a élevé le niveau des aspirations chez les êtres humains.

Au-delà de l'économie, la concurrence constitue également l'une des sources fondamentales de mobilisation et de créativité dans la vie politique, la vie artistique et culturelle, ainsi que dans le monde des sports. L'émulation, cette forme douce de la concurrence, n'est-elle pas une qualité que nous recherchons tous? Et qui dit émulation dit nécessairement dépassement et accomplissement.

La démocratie, quant à elle, est fondée à la fois sur la compétition (entre des groupes et des partis) et sur la coopération. La démocratie est un mode de gestion des conflits qui donne des gagnants et des perdants, mais qui permet aussi à ces derniers d'espérer gagner un jour à leur tour. À la base de toute démocratie, on trouve donc une entente fondamentale quant à la nécessité de respecter les règles du jeu et d'éviter à tout prix d'éliminer physiquement l'adversaire. On choisit plutôt de régler les conflits à travers une négociation et une renégociation permanente[1].

Avec l'intensification des échanges commerciaux entre pays, le développement du capitalisme industriel et tertiaire, et sous l'impulsion de la pensée économique, la concurrence a été de plus en plus associée à la notion de «lutte entre rivaux». Dans la vie économique réelle, elle a été assimilée à une victoire sur les autres concurrents. Un ancien directeur de la division de Recherche et de Développement de Shell International, à qui l'on demandait pourquoi il investissait dans la R-D, a eu cette réponse: «Pour abattre nos concurrents.» Une telle réponse a au moins l'avantage de la clarté.

Une nouvelle ère de concurrence est apparue au cours des 20 dernières années, particulièrement dans le contexte de la mondialisation des processus économiques. La concurrence ne décrit plus cette fois simplement le mode de fonctionnement d'un marché donné (par exemple un marché concurrentiel) par opposition aux marchés

---

[1] La démocratie est un concept politique comprenant plusieurs dimensions: 1) remise en cause des politiques et compétition pour certains postes; 2) participation des citoyens par l'intermédiaire d'organisations partisanes ou associatives; 3) imputabilité des décideurs; 4) contrôle civil sur les forces militaires. Voir à ce sujet Schmitter, Philippe C., et Karl, Terry Lynn, «What democracy is... and is not», *Journal of Democracy*, 2, 3, 1991, p. 75-88.

oligopolistiques et monopolistiques, elle est devenue — ou est en voie de devenir — un mode de vie. La compétitivité[2], quant à elle, a cessé d'être un moyen pour devenir une fin en soi. La concurrence (et la compétitivité qui en découle) s'est hissée au rang de credo universel et d'idéologie dominante[3].

Pour les détenteurs du capital, la compétitivité est devenue l'objectif à atteindre à court et à moyen terme, alors que la rentabilité demeure le but à long terme et la raison d'être des entreprises. Quant aux ministères du Commerce et de l'Industrie, comme pour ceux des Finances et de l'Emploi, la compétitivité constitue le principal souci, celui au nom duquel on cherche à attirer et à retenir des capitaux à l'intérieur de son territoire, et ce, afin de garantir un niveau d'emploi maximal et de permettre aux capitaux locaux d'accéder à la technologie à l'échelle mondiale. En prônant la compétitivité à tout prix, on espère se procurer les revenus nécessaires afin de préserver un minimum de paix sociale.

Ainsi, dans un pays comme la Belgique, la compétitivité des entreprises locales et celle plus «structurelle» de l'économie belge prise dans son ensemble forment les principales priorités du Conseil économique central, influent organisme pluripartite qui rédige tous les six mois un rapport sur le degré de compétitivité des sociétés belges. Aux États-Unis, le *Competitiveness Policy Council* (qui regroupe des industriels, des économistes et des syndicalistes) remplit une fonction semblable en soumettant un rapport annuel au Président et au Congrès. Son rapport de 1993 s'intitule *A Competitive Strategy for America*[4]. Tous les pays ont récemment lancé de tels appels à la mobilisation.

---

[2] Même si ce mot pèche par manque d'élégance, nous l'utiliserons pour décrire l'idéologie de la concurrence poussée à son extrême. Mince consolation pour les lecteurs francophones: le mot anglais, *competitiveness,* est tout aussi barbare.

[3] PETRELLA, Riccardo, «L'Évangile de la compétitivité», *Le Monde diplomatique,* Paris, septembre 1991.

[4] *A Competitive Strategy for America,* deuxième rapport soumis au Président et au Congrès, Competitiveness Policy Council, mars 1993. La création d'un «European Council of Competitiveness», formé d'industriels, de politiciens et de scientifiques, mais à l'exclusion des syndicalistes, constitue la principale proposition d'un document intitulé «Beating the Crisis», présenté en mars 1993 par l'European Round-Table of Industrialists au président de la Commission de l'Union européenne. L'ERTI regroupe les «patrons» des 17 sociétés européennes les plus importantes. L'évangile de la compétitivité ne s'embarrasse pas de frontières nationales.

L'impératif de la concurrence entre les sociétés et les nations a également filtré à travers les conseils d'administration des universités et des collèges, les ministères de l'Éducation, les syndicats, les parlements, les producteurs de mass media ainsi que les responsables municipaux. Il gouverne désormais leur comportement et leur stratégie. Tous n'en sont pas morts, mais tous en sont certainement atteints.

Les problèmes de la mondialisation contemporaine

La mondialisation de la finance, de l'industrie, des marchés des biens de consommation, de même que des infrastructures et des services reliés à l'information et à la communication, sans mentionner la sécurité militaire, a accentué la transformation de la concurrence qui, d'un moyen et d'un mode particulier de fonctionnement économique qu'elle était, est devenue un objectif offensif à réaliser afin d'assurer sa survie et son hégémonie. Il faut vaincre à tout prix.

Tenir tête à la concurrence dans l'économie mondiale d'aujourd'hui constitue le slogan quotidien que professent les publicitaires des multinationales, les directeurs des écoles de commerce, les économistes «branchés» et les leaders politiques. Grâce à la localisation et à la transplantation d'usines de production, et par une concurrence féroce, ou bien, au contraire, au moyen d'alliances visant à mieux faire face à la concurrence à l'échelle mondiale, les réseaux internationaux de multinationales sont en train de refaçonner les configurations de tous les secteurs de l'économie, de l'industrie automobile aux télécommunications, de l'électronique à l'industrie pharmaceutique en passant par les textiles et le transport aérien civil. La nouvelle économie mondiale ressemble à un champ de bataille où s'affrontent les géants de l'économie et où les combattants ne trouvent nul repos et nulle compassion. La mondialisation de l'économie apparaît donc comme un processus inexorable qui permet aux sociétés financières et industrielles de détenir entre leurs mains un pouvoir de décision de même qu'une influence sans précédent sur la destinée de centaines de millions de personnes, aux quatre coins de la terre. Est-ce bien ce que nous voulons?

La mondialisation de l'économie n'est qu'une dimension, quoique la plus importante, de la nouvelle configuration de notre planète et de l'internationalisation des affaires humaines. Cette reconfiguration a aussi ses aspects positifs.

La vague sans précédent de démocratisation politique qui déferle sur la planète depuis le début des années 1970 — elle ne date pas de 1989 — est un autre aspect important de cette nouvelle configuration. Cette vague a d'abord commencé au Portugal, pour atteindre ensuite l'Espagne, la Grèce et l'Amérique latine. Par la suite, l'Asie et bien entendu l'Europe de l'Est ainsi que l'ex-Union soviétique en ont été les «victimes» consentantes. L'exemple de l'Afrique du Sud devrait suffire à nous rappeler que le continent africain n'échappe pas non plus à l'histoire. De nombreux facteurs, la plupart particuliers à un pays ou à une région, expliquent cette vague planétaire de démocratisation. L'effet d'imitation et les processus de contagion et de diffusion y sont sûrement pour quelque chose. Mais trois facteurs semblent avoir joué un rôle prépondérant:

- la mise sur pied d'organisations non gouvernementales et de réseaux informels préoccupés de la défense des droits de la personne et des minorités ainsi que de l'assainissement des mœurs politiques a permis l'émergence d'un espace civique où la vie démocratique a pu à son tour éclore;
- la décision de plusieurs organisations internationales ou régionales de faire de la démocratie l'un des thèmes privilégiés de leur action en faveur de la paix. Sans cette aide, beaucoup d'ONG n'auraient pu accentuer leur action en faveur de la démocratie;
- les nouveaux moyens de communication et de diffusion — du télécopieur à la télévision en passant par le téléphone cellulaire et INTERNET — ont rendu la vie quasi impossible à toutes les dictatures. La mise en place d'un réseau mondial de communications permet aux peuples encore soumis à la dictature et à l'autoritarisme de constater de leurs propres yeux que d'autres ont réussi à démocratiser leur pays. Bien plus, les images venues d'ailleurs leur indiquent souvent comment s'y prendre pour y arriver.

La mondialisation des médias nous présente un visage plus ancien et mieux connu de la mondialisation. Il y a 40 ans, on parlait déjà de « village planétaire[5] ». De nos jours, la « civilisation des satellites », « l'autoroute électronique mondiale » et la « société informatique mondiale » sont autant de raccourcis et d'images qui donnent vie aux changements qui marquent notre époque[6]. Cependant, les questions, elles, ne changent pas. Comment s'assurer que ces nouvelles technologies réduisent les inégalités et remplissent aussi pleinement leur mission première : rapprocher les gens ? Tous auront-ils accès à l'autoroute électronique ? Y aura-t-il des bretelles menant dans des lieux inexplorés ? Ou faudra-t-il se contenter de ces lieux archi-connus mais qui auront passé avec succès le test de la concurrence ?

Il n'est pas facile non plus de savoir si cette évolution favorisera des interactions pacifiques entre les cultures. Pourra-t-elle promouvoir les identités locales et régionales. Elle pourrait, au contraire, engendrer des formes nouvelles de domination culturelle à l'échelle internationale, reposant sur des biens et des services immatériels ; ce serait une domination encore plus totale que celle de Coca-Cola ou de Sony, qui n'ont, elles, pour assises que des biens de consommation de masse.

Pour l'instant, les nouvelles percées technologiques dans les domaines de l'informatique et des communications contribuent aussi à l'émergence d'un phénomène sans précédent, à savoir la naissance d'une société civile planétaire. C'est peut-être l'aspect le plus réconfortant de la mondialisation. C'est celui qui permet tous les espoirs.

Ce phénomène est lié à l'explosion de grands problèmes et à la multiplication des défis sociaux, de même qu'à la conscience grandissante qu'en ont les 5,6 milliards d'habitants peuplant actuellement la Terre, nombre qui passera à 8 milliards aux environs de l'an 2020.

Un exemple peut-être banal mais néanmoins typique de cette prise de conscience planétaire se trouve dans la conviction que nous sommes tous à bord du même « vaisseau spatial Terre » et que nous nous

---

[5] McLUHAN, H. M., *Pour comprendre les médias — Les prolongements technologiques de l'homme,* Seuil, Paris, 1968.

[6] MATTELART, Armand, *La Communication-Monde,* La Découverte, Paris, 1992; O'SIOCHRU, Sean, *Global Sustainability, Telecommunications and Science and Technology Policy,* FAST, Commission des communautés européennes, Bruxelles, 1993.

dirigeons tous vers un «avenir commun[7]». Il s'agit d'un acquis précieux.

Outre les problèmes environnementaux qu'elle suscite, la mondialisation est de plus en plus associée à l'explosion démographique, au chômage généralisé, à l'immigration massive, au crime organisé, au trafic de la drogue, aux conflits ethniques et religieux aussi bien qu'aux nouvelles épidémies (tel le sida) et à la résurgence d'épidémies qu'on croyait disparues (la malaria et la peste). De plus, la mondialisation nourrit la crainte d'un vaste affrontement entre les riches et dominants, dont le nombre ne cesse de diminuer, et la masse grossissante des démunis, des pauvres et des exclus de la terre.

Il s'établit un lien de plus en plus clair entre, d'une part, la rapidité avec laquelle l'économie des marchés financiers et des entreprises se mondialise, et d'autre part, la nature explosive de la plupart des problèmes d'ordre social, économique, environnemental et politique qui frappent les pays et les différentes régions du globe. Il semble que l'une ne va pas sans l'autre.

La faiblesse fondamentale de l'actuelle configuration planétaire tient à l'absence, à l'échelle mondiale, de modes réfléchis de direction des affaires mondiales, socialement responsables et inspirées par des principes démocratiques.

Cette lacune a deux grandes conséquences. En premier lieu, elle empêche les pouvoirs politiques locaux, nationaux, régionaux, et supranationaux d'influencer le cours des événements. En second lieu, elle rend impossible la conciliation des intérêts et des actions de ceux qui pensent avant tout à maximiser leurs profits et à accroître leur influence et de ceux qui ont davantage à cœur l'internationalisation harmonieuse des affaires humaines.

Il en résulte, surtout au sein des démocraties traditionnelles, une profonde crise de légitimité de l'État, crise que ne saurait contrebalancer la légitimité, par ailleurs très faible, des nouvelles formes d'autorité économique mondiale, fondées sur la privatisation, la libéralisation et la déréglementation.

---

[7] Organisation des Nations Unies, Commission mondiale sur l'environnement et le développement, *Notre avenir à tous,* Éditions du Fleuve, Montréal, 1988.

Ce livre tente de cerner et de recommander les solutions susceptibles de corriger le cours actuel des choses.

La concurrence a ses limites

Limites à la compétitivité ne s'élève pas contre la concurrence en tant que telle, mais plutôt contre les aspects excessifs de l'idéologie de la concurrence qui prétend se substituer aux autres modes d'organisation de la vie économique, politique et sociale. La compétitivité n'est pas la seule valeur dont peuvent tirer profit les pays du monde entier. Le marché concurrentiel n'est pas tout. Il ne peut pas non plus imposer sa logique aux phénomènes sociaux et humains. Le marché est non seulement imparfait, il est aussi incomplet. Il n'a pas réponse à tout. On ne trouve pas tous les «produits» sur le marché de la concurrence. Comme le souligne un rapport du Business Council for Sustainable Development, «la logique traditionnelle du milieu des affaires, qui veut que les aspects humains et écologiques soient mis de côté, est incapable de répondre aux besoins actuels de la population et de s'adapter aux changements[8]». Il est de plus en plus admis que la prétendue rationalité économique ne peut à elle seule — même si elle revendique le droit de le faire — influer sur les autres sphères de la vie individuelle et collective telles que l'éducation, le comportement des familles, le développement de la collectivité et le fonctionnement des institutions démocratiques.

L'économie ne se limite pas à la concurrence et il est bon de rappeler que le but ultime des activités économiques n'est pas de gagner ou de battre l'autre, mais d'améliorer les conditions de vie de chacun. L'économie a elle aussi une obligation de résultat. Elle n'est pas au-dessus de tout soupçon.

La concurrence excessive comporte des limites structurelles, dans la mesure où elle ne peut relever les défis de taille que représentent:

- les inégalités socio-économiques qui existent au sein des pays et entre les pays, et le phénomène de marginalisation observé dans de nombreuses régions du globe;

[8] SCHMIDHEINY, Stephan, en collaboration avec le Business Council for Sustainable Development, *Changer de cap: réconcilier le développement de l'entreprise et la protection de l'environnement,* Dunod, Paris, 1992.

- l'exploitation des systèmes essentiels à la vie partout dans le monde et les dommages qui leur sont causés (par exemple, la désertification progressive des terres, l'érosion des sols, l'extinction d'espèces animales et végétales, la pollution des mers et des cours d'eau, etc.);
- la concentration du pouvoir entre les mains d'entités économiques très peu responsables devant la société (comme les sociétés multiterritoriales et multinationales, les réseaux internationaux d'information et de communication, etc.).

Limites à la compétitivité entend démontrer qu'une préoccupation exclusive pour la concurrence et que légitime le profit comme unique préoccupation des entreprises n'est pas justifiée; elle ne peut en effet constituer la seule source d'inspiration dans un contexte où les procédés, les problèmes et les interrelations ne cessent de se mondialiser et où les choix à faire ont des portées dépassant les individus en tant que producteurs et consommateurs.

La concurrence n'est pas en mesure de fournir une réponse efficace aux problèmes à long terme que doit affronter notre planète. Le marché ne peut anticiper l'avenir, souffrant, de par sa nature même, de myopie. Or, on a beau regrouper des milliers d'organismes atteints de cette même affection, cela ne les rend pas plus capables d'appréhender la réalité et d'acquérir un certain sens de l'orientation, ni non plus d'assurer une gestion ordonnée et stable de l'intérêt général. Ce n'est pas en fermant les yeux que l'on va guérir la cécité de nos organisations. À l'heure de la mondialisation, il est devenu impérieux de regarder autour de nous, partout, et de voir ce qui s'y passe.

La même règle vaut pour la concurrence entre les nations et entre les États, laquelle, si elle est excessive, mène inévitablement à un climat de foire d'empoigne et à des guerres économiques à l'échelle planétaire, en plus de restreindre l'aptitude des dirigeants à s'attaquer aux vraies priorités, sur les plans tant local que national et international. Un excès de compétitivité et de concurrence peut être dangereux pour la santé de nos démocraties.

En définitive, lorsque les intérêts de sociétés concurrentes coïncident avec ceux de pays concurrents, il en résulte des effets pervers qui se traduisent par:

- de nouvelle formes de protectionnisme ou des politiques industrielles défensives. Afin de soulager les entreprises incapables de concurrencer les sociétés étrangères, l'État les protège ou leur procure des avantages artificiels;
- un techno-nationalisme par lequel on limite la transmission des connaissances, celles-ci étant perçues comme un éventuel facteur de production concurrentiel que les «autres» pays peuvent utiliser;
- davantage de bilatéralisme afin de tenir éloignés du marché les concurrents potentiels.

Souvent, la concurrence qui s'exerce sur le marché va, prise isolément, à l'encontre de la concurrence entre les pays et vice-versa. La même chose vaut lorsqu'il s'agit de blocs régionaux en compétition entre eux. Il semble donc que, pour qu'un système soit efficace entre des marchés concurrentiels fonctionnant à des paliers divers, il faille instaurer un cadre qui favorise la coopération entre les pays et les régions, à savoir des formes de direction mondiale qui soient responsables socialement et qui privilégient la démocratie.

Nous savons que seul un système de direction coopérative est en mesure de s'ajuster aux évolutions et aux besoins actuels et futurs. Pour que la concurrence ne débouche pas sur une cacophonie d'irrationalités, il nous faut trouver les moyens d'avancer dans cette direction. C'est seulement en reliant entre eux les multiples réseaux socio-économiques qui prennent forme sous le concept de la mondialisation et en leur donnant des objectifs communs et visibles qu'on peut espérer parvenir à la justice sociale, à l'efficacité économique, à la durabilité de l'environnement et à la démocratie politique, évitant par le fait même d'aviver les conflits qui risquent d'imploser à tout moment aux quatre coins de la planète.

Dans une large mesure, nos sociétés font face aux mêmes problèmes que celles du XIXe siècle. Elles devraient se rappeler qu'il a fallu attendre la première moitié du siècle suivant, grâce à l'État de droit et à la sécurité sociale, pour qu'une solution cohérente et globale soit trouvée. Aux mêmes maux, les mêmes remèdes, serions-nous tentés de dire. Pourtant les choses ont changé. Des progrès ont été accomplis, de nouveaux remèdes sont apparus.

Les efforts déployés au cours du XIXe siècle pour que les États accèdent à une démocratie représentative et pour que les conditions sociales des travailleurs s'améliorent ont servi de contrepoids aux excès du capitalisme naissant. Ainsi :

- des lois contre les trusts ont été édictées afin de lutter contre la tendance du capitalisme compétitif à vouloir bâillonner la concurrence (le capitalisme monopolistique);
- des lois ont été votées pour empêcher l'exploitation des travailleurs et l'utilisation des enfants comme main-d'œuvre et en vue de réglementer les conditions de travail ainsi que le salaire minimum;
- des programmes de bien-être social ont été établis afin de lutter contre l'exclusion de certaines catégories de gens;
- des lois ont été mises en vigueur en vue de lutter contre la publicité trompeuse et de protéger les consommateurs;
- et, plus récemment, des règlements afférents à la protection de l'environnement ont été adoptés afin de contrer la tendance à ignorer les coûts d'ordre environnemental.

Toutes ces mesures ont contribué à l'émergence graduelle du contrat social « national » comme base du développement des sociétés prétendument « évoluées » du monde occidental telles que nous les connaissons aujourd'hui. L'État, en tant que promoteur et garant des intérêts de la population, est intervenu dans cette évolution en freinant les excès dont s'était rendu coupable le capitalisme compétitif national.

De nos jours, la source des problèmes que nous connaissons est identique, car le capitalisme compétitif, qui tend à se mondialiser, porte toujours en lui ses propres excès. Il exige de nouveau des réformes. Ce qui complique cependant les choses, c'est que la plupart des abus du capitalisme compétitif refont surface, cette fois à l'échelle mondiale. Par exemple :

- dans un contexte de déréglementation et de libéralisation du marché, la mobilité des capitaux financiers et industriels au niveau international rend souvent inefficaces les règlements établis au niveau de l'État-nation;

- de plus en plus de secteurs financiers et industriels se caractérisent par leurs structures oligopolistiques. Les alliances et les fusions que les sociétés concluent entre elles à l'échelle régionale et internationale émanent du principe selon lequel il importe de favoriser la compétitivité d'un pays ou d'une région sur le plan mondial;

- les lois relatives à la main-d'œuvre de même que les programmes de bien-être social sont affaiblis, voire abolis, pendant que le chômage devient l'un des enjeux sociaux parmi les plus importants des 15 à 20 années à venir. L'accroissement de la compétitivité des entreprises «locales» passe pour être la meilleure façon de créer des emplois;

- l'indifférence qui se manifeste à l'égard des marginaux de la société continue de s'intensifier (l'exclusion sociale et l'intolérance envers ces personnes gagnent du terrain, notamment dans les grandes villes, les liens se rompent entre les régions, etc.);

- au nom de la compétitivité, on exige de plus en plus que des moratoires soient imposés sur les règlements relatifs à la protection de l'environnement, ou que ceux-ci soient purement et simplement abolis[9].

Le cadre dans lequel le capitalisme excessif s'exerce et le rôle que sont appelés à jouer les acteurs clés sont nouveaux. Les problèmes sont apparement identiques, avons-nous dit, mais en raison, notamment, de l'érosion des marchés nationaux, l'État est à présent un instrument affaibli en regard des forces qui interviennent dans le

[9] L'accent a été mis sur les «limites de la compétitivité» plutôt que sur la description d'un monde «dépassant la concurrence» ou sur la «postcompétitivité». Le présent livre traduit l'adhésion de tous les membres du Groupe de Lisbonne au principe selon lequel la recherche exclusive de la compétitivité comporte des limites structurelles, étant donné son impuissance à résoudre les problèmes actuels que pose le développement partout dans le monde.

phénomène de la mondialisation, alors que les multinationales et leurs réseaux ont considérablement élargi leur pouvoir d'influence et de contrôle. Il est donc essentiel qu'un nouveau type de direction économique mondiale soit instauré. Confier ce rôle aux directions du G-7 ne ferait qu'aggraver le problème.

Prétendre offrir une nouvelle façon de concevoir et surtout de vivre la mondialisation peut sembler utopique et prétentieux. Les lecteurs des pays francophones, ceux de la France bien entendu, mais aussi ceux de la Belgique, du Québec, de la Suisse et de tous les pays où le français est une langue de communication, ont appris à se méfier de ces grands schémas de réorganisation planétaire. Ils se méfient aussi instinctivement de tous ces prophètes qui tantôt annoncent que la nation, surtout la leur, est en péril, et tantôt prêchent en faveur de la disparition pure et simple des nations et des États. Mais le scepticisme ne doit pas nous condamner à l'immobilité.

Ce n'est pas notre perspective et il est bon de le rappeler de nouveau. De la même façon que nous ne croyons pas qu'il faille éliminer la concurrence — bien au contraire — ou le capitalisme libéral, nous ne croyons pas non plus que la Nation et l'État soient mûrs pour les poubelles d'une histoire qui se serait arrêtée. Nous nous méfions — et certains d'entre nous davantage que d'autres — du nationalisme et de l'étatisme, mais de là à se priver de cet espace de solidarité qu'est la Nation, celle qu'on construit et non celle qui est donnée par l'histoire, il y a un pas que nous ne sommes pas prêts à franchir.

Et pourquoi se priver aussi de cet instrument efficace qu'est l'État lorsqu'il s'agit d'enrichir ces solidarités et de leur donner les moyens de leurs ambitions? Nous ne rejetons personne, pas plus les multinationales et les entreprises que les gouvernements et les nations. C'est de la planète et de la diversité des organisations et des individus qui la peuplent dont il est ici question. Il ne faudrait quand même pas l'oublier. L'État et la nation ne sont plus seuls, voilà ce qu'il faut constater.

La probabilité est plutôt faible, du moins au cours des 20 à 30 prochaines années, qu'un «État mondial» soit capable de négocier avec une «industrie mondiale» en vue d'amoindrir les excès découlant d'un

« capitalisme compétitif mondial ». Il est également irréaliste de penser que ce genre de capitalisme réduira de lui-même ses propres abus. En conséquence, que peut-on faire ?

Le Groupe de Lisbonne estime qu'il est impérieux d'établir une nouvelle génération de contrats sociaux internationaux, aussi bien implicites qu'explicites, visant la recherche des meilleures solutions possibles sur le plan de la coopération entre pays, dans l'intérêt général du plus grand nombre de personnes et de nations. Ces contrats mondiaux ne doivent pas être perçus comme les éléments d'une bureaucratie statique, mais plutôt comme des processus d'évolution à facettes multiples.

Quatre contrats mondiaux sont jugés prioritaires dans le présent livre. Nous avons aussi identifié les « enzymes » qui pourraient faciliter l'émergence d'une direction mondiale de type coopératif, en particulier les nouveaux modes de citoyenneté conçus et mis à l'essai au niveau des villes, des continents et de la planète, c'est l'essentiel de notre message.

Pourquoi Lisbonne ?

Le Groupe de Lisbonne se compose de 19 personnes vivant au Japon, en Europe de l'Ouest et en Amérique du Nord (le « monde triadique »), de formation différente, et issues du milieu des affaires, des organismes gouvernementaux et internationaux ainsi que de la communauté universitaire et des fondations. Il a reçu l'appui financier de la Fondation Calouste Gulbenkian, pour ses réunions à Lisbonne, ainsi que celui de la Fondation hispano-japonaise Nao Santa Maria, de la Fondation économique Tissot de la Suisse, de la Fondation Fratelli Dioguardi de l'Italie, du Yoko Civilisation Research Institute du Japon, du Conseil de la science et de la technologie et de l'Institut national de la recherche scientifique, tous deux du Québec. Le nom du groupe a en outre une signification symbolique et culturelle.

Le Groupe de Lisbonne a été formé en 1992, l'année du 500e anniversaire de la découverte du Nouveau Monde. Nous reconnaissons d'emblée que ces découvertes ont souvent pris l'allure de conquêtes. Mais si nous ne pouvons rien en ce qui regarde le passé, nous pouvons faire en sorte que la présente vague de mondialisation soit soutenue par des échanges marqués de respect. Le Portugal est, comme on le sait, la patrie présumée des plus grands explorateurs du XVe siècle. Il est donc intéressant de constater que, cinq siècles plus tard, c'est dans sa capitale que des personnes d'origines diverses se réunissent pour plaider en faveur d'un nouvel ordre mondial reposant cette fois sur la coopération et non sur les conquêtes. Le nom de «Groupe de Lisbonne» qu'elles se sont donné est une sorte d'hommage au riche passé de cette ville.

Le Groupe a été créé à l'initiative de Riccardo Petrella, directeur du Programme FAST (Forecasting and Assessment in Science and Technology) à la Commission de l'Union européenne de Bruxelles, qui a été le «rédacteur en chef» et le «rédacteur tout court» des nombreuses versions de ce livre-manifeste. Même à l'ère du télécopieur, les membres du Groupe de Lisbonne ont cru bon de se réunir à Lisbonne à deux reprises, et en sous-groupes à Nagai (Japon), à Warnant (Belgique), à Lisbonne et à Montréal. Chaque rencontre a été marquée par la joie de se retrouver. Les propos échangés ont parfois été vifs et il a fallu souvent revenir sur ce qui avait été entendu la veille. Mais, finalement, la tâche de faire travailler ensemble 19 personnes a été relativement facile. Il faut dire que tous avaient le goût de coopérer et d'atteindre l'objectif commun.

Ce groupe a choisi de n'accueillir que des gens venant du «monde triadique», puisqu'il souhaitait examiner de quelle manière les pays les plus développés et les plus puissants de la terre sont en mesure de faire face aux enjeux et aux problèmes qui surgissent dans le monde, et voir quelles sont leurs responsabilités et leurs aptitudes à cet égard. Cette restriction librement consentie appelle quelques explications.

Les pays du monde triadique ont depuis longtemps prouvé qu'ils étaient capables de promouvoir et de préserver la diversité culturelle, les institutions démocratiques, la tolérance humaine et le sens des responsabilités envers la société. Ils se souviennent aussi très bien des énormes désastres humains et sociaux qu'ils ont autrefois provoqués, alors que leurs dirigeants et leur population étaient mus par des formes exacerbées de nationalisme, de fondamentalisme et de totalitarisme.

Cela ne signifie en rien que les pays de la Triade ont la responsabilité de déterminer l'ordre du jour pour le reste de la planète. Cela ne signifie pas non plus que les pays à l'extérieur de la Triade ne peuvent rien faire d'autre que d'attendre le bon vouloir des Grands. La gouverne de la planète ne peut être l'affaire d'un petit groupe, et les pays de la Triade doivent reconnaître cette exigence le plus rapidement possible.

De l'avis des membres du Groupe de Lisbonne, le monde ne doit pas devenir le théâtre de guerres d'hégémonie. Il est grand temps qu'on se préoccupe des conséquences désastreuses de la concurrence excessive et qu'on aille au-delà de la logique à court terme de l'autosurvie.

Les membres du Groupe de Lisbonne partagent la conviction profonde que le Japon, l'Amérique du Nord et l'Europe de l'Ouest doivent exploiter l'énorme potentiel ainsi que les moyens fabuleux dont ils disposent sur les plans de la science, de la technologie et de l'économie pour harmoniser entre elles l'efficacité économique, la justice sociale, la durabilité de l'environnement et la démocratie politique, plutôt que de chercher à servir exclusivement leurs propres intérêts et leur lutte pour la domination mondiale. Ils ne pourront y arriver que s'ils travaillent de concert avec les autres peuples de la terre.

Le Groupe croit qu'il est désormais possible de remplir ces engagements, grâce aux immenses surplus de biens et de services ainsi qu'aux extraordinaires moyens scientifiques et technologiques dont nous disposons, grâce à l'occasion que nous pouvons fournir à des millions de personnes dans le monde de recevoir une éducation de qualité supérieure. Le Japon, l'Amérique du Nord et l'Europe de l'Ouest ont comme responsabilité première de mobiliser l'ingéniosité humaine en vue de la mettre au service des besoins essentiels et des aspirations exprimées par les populations de notre planète.

CHAPITRE 1

Un monde global en gestation

Le présent chapitre entend montrer que la mondialisation des affaires humaines n'est plus un concept abstrait, mais une réalité pure et dure. Les images qui viennent à l'esprit des gens quand on leur parle de monde global traduisent leur juste perception d'un monde différent en train de se bâtir. Leur perception est la bonne. C'est aussi la nôtre.

Le «monde global» est le résultat d'une profonde réorganisation de l'économie et de la société, touchant à la fois ce qui a jusqu'ici été désigné sous le nom de «premier monde» (les pays capitalistes développés de l'hémisphère occidental), de «deuxième monde» (les pays communistes aux économies contrôlées) et de «tiers monde» (les pays dits «en voie de développement»). Cette division du monde n'existe plus. Une autre configuration caractérise à présent la géo-économie de notre planète, et les pays asiatiques représentent désormais un des nouveaux pôles autour duquel gravite la mondialisation de l'économie et de la société.

Cette transformation à laquelle nous assistons est en train de redéfinir le rôle central qu'ont joué jusqu'à une date récente l'État-nation, le capitalisme national, la richesse des nations, la modernisation industrielle et le contrat national de bien-être social.

Le présent chapitre suggère que la mondialisation constitue un nouveau processus qui diffère de l'internationalisation et de la multinationalisation. L'étiquette «made in the world», «fabriqué dans le monde» devra-t-on apprendre à dire, marque la fin de l'économie et du capitalisme nationaux en tant que seuls moyens d'organiser et de gérer la production et la distribution de la richesse.

Images d'un monde global

Lorsque vient le temps de décrire ce nouveau monde global, les images se multiplient et la confusion s'installe. Nos perceptions sont peut-être bonnes, elles sont souvent empreintes de nostalgie et de simplisme. Il n'est pas inutile de tenter de mettre les choses en perspective.

Un village de communications?

On a une première impression de ce à quoi ressemble la dimension globale de la condition humaine actuelle en regardant à la télévision les informations de fin de journée.

En 30 minutes, un flot d'images déferle des quatre coins de la terre, sur tous les aspects de la vie; et le téléspectateur devient une petite molécule flottant dans une galaxie d'univers et partageant, pendant un moment, une histoire commune qui se déroule sur une même planète.

Cela est particulièrement vrai dans le cas des «Triadiens» (les habitants des trois régions les plus riches de la terre, à savoir l'Amérique du Nord, l'Europe de l'Ouest et le Japon, et certains des «petits dragons» de l'Asie du Sud-Est). Cette réalité est en voie de devenir, jusqu'à un certain point, celle également d'un nombre croissant de personnes en Chine, en Inde, en Indonésie, en Amérique latine et en Afrique.

Quand nous écoutons les nouvelles télévisées, nous ne sommes pas conscients du fait que 80 % de toutes les images alors diffusées aux quatre coins du globe proviennent de trois grandes banques mondiales d'images; nous nous rendons compte, toutefois, que nous sommes les témoins d'une réalité mondiale que partagent tous les peuples. Les services ininterrompus d'informations qu'offre le réseau CNN constituent l'exemple le plus souvent cité pour démontrer que nous vivons dans une «nouvelle» ère d'information «mondiale».

Les nouvelles transmises par le CNN font à présent partie du quotidien de ces voyageurs «internationaux» qui composent l'élite «mondialisante». Ces nouvelles sont écoutées dans les aéroports, dans les chambres d'hôtel identiques des grandes chaînes internationales, où ces voyageurs « du monde » trouvent tous les mêmes ingrédients pour alimenter leur quotidien, soit des journaux comme *l'International Herald Tribune,* le *Financial Times* et le *Wall Street Journal,* et des magazines tels que *Fortune, Time, Newsweek, Business Week, The Economist.* Ils mangent tous la même « cuisine internationale », et peuvent tous payer leurs frais d'interurbain avec les mêmes cartes de crédit « mondiales », les réseaux téléphoniques étant de plus en plus exploités par les mêmes sociétés multinationales. Curieusement, à l'heure de la concurrence sans limite, on revient souvent d'un périple à l'étranger avec la triste impression qu'à Paris ou à Londres, à San Francisco ou à Tokyo, le « paysage » est le même. Ce sont les mêmes nouvelles, les mêmes journaux et les mêmes boutiques. Certes cette impression témoigne le plus souvent de nos limites linguistiques et de notre propension à rechercher ce qui nous est familier. Mais elle surgit néanmoins, et presque systématiquement.

Cette situation se compare à celle que vit l'ensemble des femmes et des hommes, dont le quotidien « mondial » se construit à peu près à partir des mêmes films (dont l'écrasante majorité sont américains), télédiffusés sur des appareils fabriqués pour la plupart dans des usines appartenant aux Japonais, et à l'aide des mêmes disques numériques produits et commercialisés presque simultanément dans tous les pays, sans grande « discrimination » (hormis celle du potentiel d'un marché) entre les peuples, les cultures et les régions.

Ce qu'on peut appeler « l'économie de type Madonna » est un processus réel d'unification de la consommation de biens d'information et de communication, qui repose sur une logique semblable (celle du marché) et fait appel aux mêmes ressources (des infrastructures et des réseaux de publicité massive à la grandeur de la planète).

Il serait cependant trompeur de conclure qu'il n'existe qu'un seul « village planétaire ». Il y a, en effet, une énorme différence entre le fait de « percevoir » une situation où les gens se trouvent tous ensemble dans l'arène mondiale pour assister au même spectacle (et tout le monde n'est pas invité !) et celui de « vivre » l'expérience communautaire que représente le partage des objectifs, des moyens et des mesures à prendre auquel fait penser le mot « village ».

Ainsi, en 1984, le rapport sur le *Missing Link* rédigé par la ITU

(International Telecommunication Union) établissait l'objectif suivant: «Au cours de la première partie du prochain siècle, l'ensemble du genre humain devrait pratiquement être capable de disposer d'un téléphone[1]». Cet objectif a été modifié six ans plus tard parce qu'on s'est rendu compte qu'il était irréaliste; en 1990, par exemple, la seule région de Tokyo comptait plus de téléphones que l'Afrique au complet, et le Japon possédait plus de téléphones que les pays en voie de développement de l'Asie, de l'Afrique et de l'Amérique du Sud réunis[2].

De la même manière, il serait faux de prétendre que notre planète est déjà câblée et «encerclée» par des «autoroutes numériques» sous-marines, terrestres et aériennes internationales et par des «super-autoroutes de communication», comme certaines brochures publicitaires d'IBM, d'Alcatel, de Siemens, de Sony, de Mitsubishi, de BT, de NTT, d'Ericcson et autres voudraient nous le faire croire. Nous sommes encore loin de cet univers de véritable «réseau mondial». La réalité demeure encore bien en deçà du discours.

Néanmoins, les réseaux internationaux et mondiaux d'information et de communication croissent rapidement[3]. Il se déroule actuellement un processus de «rebranchement du monde[4]». La famille des acronymes afférents s'étend un peu plus chaque année; citons entre autres:

TYMNET: le plus important et le plus populaire réseau à valeur ajoutée de producteurs internationaux;

SWIFT: la Society for Worldwide Interbank Financial Telecommunications;

SITA: la Société internationale des télécommunications

---

[1] International Telecommunications Union, *The Missing Link,* Report of the Independent Commission on Worldwide Telecommunications Development (The Mainland Commission), Genève, 1984.

[2] RICHTER, Walther, Rural Telecommunications as a *Vehicle for Growth.* Exposé présenté lors de l'International Telecommunications Futures Symposium, Omaha, États-Unis, 1991, p. 6.

[3] MUSKENS, George, et GRUPPELAAR, Jacob, *Global Telecommunications Networks: Strategic Considerations,* Kluwer Academic Publishers, Dordrecht, Boston, Londres, 1988. Pour obtenir des renseignements plus récents, consulter la *Survey on Global Telecommunication* effectuée par le *Financial Times.*

[4] «A Scramble for Global Networks», *Business Week,* 21 mars 1988.

aéronautiques, le plus vaste réseau fermé qui dessert plus de 300 compagnies aériennes dans 170 pays;

RETAIN: le réseau privé d'IBM;

GLOBECOM: le réseau de City Bank qui relie entre elles les succursales de quelque 100 pays;

SABRE: le réseau de réservation d'American Airlines et autres systèmes informatisés semblables tels qu'Amadeus, Galileo, Worldspan, System One et Abacus.

Ce ne sont là que quelques exemples des réseaux de télécommunications internes que possèdent pratiquement toutes les entreprises multinationales.

Ce phénomène n'en est encore qu'à ses premiers balbutiements et le potentiel de développement est considérable. En 1993, le réseau INTERNET avait déjà plus de 20 millions d'utilisateurs. Les choses n'iront toutefois pas sans difficultés. L'euphorie actuelle à l'égard de la technologie sera quelque peu refroidie par les limites de la technologie elle-même, l'insuffisance des services fournis, la diversité entre les pays et la variété des contextes culturels[5]. D'ailleurs on peut déjà prévoir qu'INTERNET et ses équivalents «oublieront» à leur tour bon nombre de régions du globe. Bref, cette image du village global, électronique ou pas, est fondée. Il faut cependant en constater les limites.

Méga-infrastructures pour produits et services mondiaux

Une autre image que présente ce «monde global en gestation» est celle projetée par les infrastructures du transport. Chaque jour, 55 000 avions volent autour de la terre. En 1990, 2,1 milliards de passagers au kilomètre ont été transportés, dont environ la moitié sur des vols réguliers internationaux. Pour que cela devienne possible, nous avons dû construire des aéroports de plus en plus grands, équipés de vastes parcs automobiles et de centres commerciaux modernes et employant de plus en plus de gens (70 000 personnes travaillent à l'aéroport

[5] La constatation des prévisions exagérées faites au sujet du développement et des marchés du RNIS (Réseau numérique à intégration de services) devrait nous inciter à faire preuve de plus de prudence.

d'Heathrow près de Londres). Le trafic aérien est contrôlé et surveillé à l'aide d'ordinateurs de plus en plus perfectionnés (et aussi de plus en plus vulnérables), et les avions eux-mêmes sont transformés en terminaux volants reliés à un système informatique mondial. Une «méga-machine», celle du transport aérien, est en train de se construire. À bien des égards, elle est déjà saturée et inappropriée. Au cours des 10 ou 15 années à venir, le «monde global du transport aérien» traversera des cieux plutôt turbulents; il faut espérer que, parallèlement, les effets néfastes de la déréglementation aérienne soient éliminés.

Les «pilotes» de cette mégamachine sont de moins en moins les autorités publiques nationales (en raison de la vague de privatisation, de déréglementation et de libéralisation), et de plus en plus les entreprises de fabrication d'avions, les transporteurs aériens, les agences de voyages et les voyagistes, mais aussi les vendeurs de systèmes de réservation informatisés (voir le tableau 1).

Tableau 1 — Les «pilotes» de la mégamachine du transport aérien, 1990-1991

Groupes mondiaux les plus importants de l'industrie aérospatiale	Groupes mondiaux les plus importants du secteur du transport aérien civil	Principales agences de voyages	Principaux voyagistes	Principaux vendeurs de systèmes de réservation informatisés
Boeing (É.-U.)	American Airlines	American Express	Holland Int.	Sabre
United Technologies (É.-U.)	Delta Airlines	Woodside	Jetset Tours	Covia
British Aerospace (CE)	British Airways	Carison	Int. Thompson	Worldspan
McDonnell Douglas (É.-U.)	Air France	Rosensluth	Wagons-lits	System One
Allied Signal ((É.-U.)	Lufthansa	Wagons-lits	Bennet	Galileo
General Dynamics (É.-U.)	KLM	Business Travel Int.	LTU Group	Amadeus
Lockheed (É.-U.)	Swiss Air	Hogg-Robinson	Wallace	Abacus
Textron (É-U.)	SAS	Halpag Lloyd	Arnold	
Deutsche Aerospace (CE)	United Airlines	Havas		
	Jal	Thomas Cook		

Sources: Commission des Communautés européennes, *Panorama de l'industrie de la CE en 1993*, Eurostat, Luxembourg, 1993; The World Travel and Tourism Council, *Report 1991,* et le *Travel Industry Yearbook* de 1991.

Une autre mégamachine est en train de façonner le nouveau «monde global», peut-être de manière moins visible que le transport aérien mais de façon sûrement aussi efficace. Il s'agit du transport automobile.

Actuellement, on compte environ 400 millions de voitures sur notre planète. Celles-ci sont partout. Elles ont envahi la plupart des grandes villes du monde, au point de les faire suffoquer. Pour rouler, ces automobiles ont besoin de plus de 100 000 kilomètres d'autoroutes et d'un plus grand nombre encore de routes nationales et locales. Elles se nourrissent de pétrole, à raison de 3,6 milliards de barils par année. Afin de produire, de fournir et de distribuer une telle quantité de pétrole tous les jours, un gigantesque appareil d'infrastructures et de matériel (y compris les assurances et les services juridiques, hospitaliers et funéraires) a été créé et ne cesse de grossir.

Il est par conséquent facile de comprendre la raison de la guerre du Golfe, tout comme d'entrevoir la possibilité qu'éclatent d'autres guerres de même nature si les «pilotes» et les règles qui régissent certaines de nos mégamachines continuent de perdre du terrain. La sécurité de l'approvisionnement et des marchés s'en trouvera d'autant plus menacée, ce qui ne peut qu'encourager les États-Unis et d'autres pays à intervenir militairement comme ils l'ont fait lors de la guerre du Golfe.

Pour l'heure, l'idée d'une «voiture mondiale» n'a pas fait long feu sur le plan commercial, ce qui n'a pas empêché la mégamachine mondiale de l'automobile de devenir de plus en plus omniprésente dans toutes les parties du globe.

Outre les acheteurs et les utilisateurs d'automobiles, les «conducteurs» de la mégamachine sont les fabricants de voitures et de pièces automobiles, de même que les sociétés pétrolières (voir le tableau 2). En 1991, ces entreprises réunies comptaient 15 123 207 employés[6]. Le simple fait que l'on puisse ainsi produire un décompte, même inexact, du nombre d'employés témoigne des progrès de la mondialisation de cette industrie[7].

[6] Chiffres tirés de *Panorama de l'industrie de la CE en 1993,* Commission des Communautés européennes, Eurostat, Bruxelles, 1993, p. 25-47.

[7] Cela devrait aussi nous rappeler qu'en matière d'indicateurs et de statistiques, la planète est encore bien dépourvue. Il nous faut le plus souvent faire appel à des statistiques produites localement.

Tableau 2 — Les «conducteurs» de la mégamachine mondiale de la voiture, 1990 (en millions d'écus)

Sociétés pétrolières			Fabricants de voitures et de pièces automobiles		
Royal Dutch Shell	UE	83 034	General Motors	Japon	96 640
Exxon	É.-U.	82 720	Ford Motor	É.-U.	76 551
Mobil	É.-U.	46 299	Toyota Motor	É.-U.	53 778
British Petroleum	UE	46 172	Daimler-Benz	Japon	41 570
ENI	UE	32 882	Fiat	UE	37 758
Texaco	É.-U.	32 062	Volkswagen	UE	33 091
Chevron	É.-U.	30 265	Nissan Motor	UE	32 330
Elf Aquitaine	UE	25 325	Renault	Japon	23 664
Amoco	É.-U.	21 958	Chrysler	UE	23 359
Total	UE	18 537	Honda Motor	É.-U.	23 314
Petroleos De Venezuela	Venez.	18 117	Peugeot	Japon	23 088
Pemex	Mex.	15 228	Robert Bosch	UE	15 507
Atlantic Richfield	É.-U.	14 117	Mitsubishi Motors	UE	15 164
Nippon Oil	Japon	13 497	Mazda Motor	Japon	14 712
Petrobas	Brésil	12 219	BMW	Japon	13 214
Idemitsu Kosan	Japon	11 272	Volvo	S	11 034
Repsol	UE	10 922	Isuzu Motors	Japon	8 390
Phillips Petroleum	É.-U.	10 664	Nippondenso	Japon	8 208
USX-Marathon Group	É.-U.	10 413	Suzuki Motor	Japon	6 780
Petrofina	UE	10 229	TRW	Japon	6 404
Nesté	CH	9 589	Audi	Japon	5 895
SUN	É.-U.	9 260	TOTAL	É.-U.	570 451
Statoil	É.-U.	9 104			
Showa Shell Sekiyu KK	EFT	8 970			
Unocal	É.-U.	8 345			
Imperial Oil	Japon	7 538			
Ashland Oil	É.-U.	7 041			
Nippon Mining Co	Japon	6 534			
RWE-DEA	É.-U.	6 049			
Mitsubishi Oil	Japon	6 029			
TOTAL		624 391			

Source: *Panorama de l'industrie de la CE en 1993, op. cit.*

Au cours des 30 dernières années, la situation n'a pas beaucoup évolué au sein du groupe des sociétés pétrolières. Des changements majeurs sont venus, par contre, remodeler l'identité des « conducteurs » issus du secteur de la fabrication de voitures et de pièces automobiles. En 1964, les sociétés japonaises étaient quasi inexistantes ; elles n'ont produit cette année-là que 600 000 voitures, alors que les sociétés américaines et européennes en ont fabriqué 15,4 millions. En 1991, les États-Unis et l'Europe ont produit ensemble 18,8 millions d'automobiles et le Japon 9,9 millions, soit un tiers de plus que les Américains et un quart de moins que les Européens[8].

À noter que, en plus de cette refonte industrielle, la tendance de la mégamachine mondiale de la voiture est de dépendre moins de matériel informatique et d'infrastructures que de la place que l'automobile occupe dans le système de valeurs des sociétés contemporaines. Nous sommes tous tellement liés au « monde global » de cette mégamachine que, si les automobiles venaient à disparaître, les conséquences en seraient incalculables. Voilà la raison pour laquelle le projet de « villes sans voiture », quoique pertinent, nous semble probablement trop révolutionnaire (et, partant, irréaliste). La même chose vaut pour l'ordinateur. Nous pouvons à la rigueur arriver à nous passer d'énergie nucléaire, mais il nous paraît inconcevable d'imaginer une économie et une société d'où l'ordinateur serait absent.

La dépendance croissante des êtres humains à l'égard d'objets fabriqués par l'homme (tels que la voiture, l'ordinateur et autres), et les contraintes que celle-ci exerce sur notre liberté de manœuvre ont contribué à largement répandre une autre « image » du « monde global », celle de la finitude du système dans lequel nous vivons.

Les limites de notre monde

Nous avons compris que nous ne vivons pas dans un monde infini et que notre avenir à court et à long terme sera fonction de notre aptitude à nous accommoder des occasions et des contraintes que ce monde limité nous offre et nous impose.

Même avant que se tienne à Stockholm, en 1972, la Conférence des Nations Unies sur la population et l'environnement, et avant la

---

[8] Lire l'intéressante analyse de l'histoire de l'industrie automobile de GINSBURG, D. H., et ABERNATHY, W. J. (sous la direction de), *Government, Technology and the Future of the Automobile,* McGraw Hill, New York, 1980.

publication, la même année, de *Limits to Growth*[9], qui a rendu populaires des notions et des analyses qui avaient, depuis les années 1950[10], fait l'objet de nombreux rapports et avaient été maintes fois débattues lors de tribunes, les gens avaient commencé à se rendre compte que les ressources de notre planète n'étaient pas inépuisables. Les travaux entrepris ensuite par des centaines de groupes et d'institutions, ainsi que la publication, en 1987[11], du rapport Brundland, *Our Common Future,* où était élaboré le concept du «développement durable», désormais universel, ont contribué à façonner l'opinion publique et à répandre l'idée de la finitude de la terre.

À la suite également de la mondialisation croissante des affaires humaines, il est devenu évident que la nature finie de notre monde découle non seulement des limites des ressources physiques et naturelles mais aussi, ce qui est plus important encore, des limites que détermine l'interdépendance humaine et sociale, avec sa complexité et sa cohésion, et qui interfèrent avec les autres restrictions d'ordre physique et naturel.

C'est grâce à deux concepts, ceux d'«Une seule Terre» et «Un avenir commun», que notre récente conscience de la finitude de la planète a pu se faire jour et trouver sa véritable orientation. De là le principe de plus en plus accepté de notre responsabilité envers l'humanité dans son ensemble et envers les générations futures[12].

On peut tirer deux leçons de ces concepts. En premier lieu, il n'est plus possible physiquement d'ignorer les coûts et les dommages environnementaux qu'entraînent les processus de production, et d'en faire payer le prix par la nature et par les générations futures. Il nous faut

---

[9] MEADOWS, Dennis L., *et alii, Halte à la croissance. Enquête sur le Club de Rome et rapport sur les limites de la croissance,* Fayard, Paris, 1972.

[10] Pour n'en nommer que quelques-uns, COMMONER, Barry, *L'Encerclement,* Le Seuil, 1972 (traduit par Guy Durand); GALBRAITH, J. K., *L'Ère de l'opulence,* Calmann-Lévy, 1961 (traduit par Andrée R. Picard); BROWN, H., *The Challenge of Man's Future,* Viking Press, New York, 1954; DUMONT, René, *Chine surpeuplée, Tiers-Monde affamé,* Le Seuil, Paris, 1965; JUNGK, Robert, *Tomorrow is Already Here,* Simon and Schuster, New York, 1954.

[11] Organisation des Nations Unies, Commission mondiale sur l'environnement et le développement, *Notre avenir à tous, op. cit.,* 1988.

[12] Le principe de la responsabilité a été analysé et élaboré par JONAS, Hans, dans *Le principe responsabilité: une éthique pour la civilisation technologique,* Éditions du Cerf, Paris, 1990.

donc repenser les procédés et produits industriels de telle façon que ces coûts et ces dommages soient intégrés à la production et à la consommation. En second lieu, il n'est plus possible non plus, sur les plans humain et social, d'ignorer les coûts et les dommages que la croissance économique et le développement technologique entraînent et d'éviter que les groupes sociaux les plus riches aient à les assumer. Il convient donc de mettre en place des mécanismes de production, de surveillance et de distribution de la richesse entre les groupes, les générations, les pays et les régions, qui soient mieux équilibrés.

La nature finie du monde ne présume pas que la densité et l'étendue des phénomènes d'interaction, d'interdépendance et d'incertitude s'en trouveront diminuées. Le caractère limité du développement à l'échelle internationale signifie plutôt que nos sociétés doivent apprendre à faire face à un degré de complexité supérieur à celui qui caractérise un monde reposant sur l'État-nation et sur l'économie, la culture et l'histoire nationales.

La gestion de cette complexité est loin d'être acquise. Les problèmes et les défis que soulève la présente transition font ressortir le fait que nos sociétés ne possèdent pas tous les moyens nécessaires pour gérer des situations complexes de nature diverse, à tous les paliers. Même si nous sommes habitués à côtoyer la complexité (nous l'affrontons tous les jours), nous devons maintenant apprendre à agir et à réagir face aux difficultés et aux défis que présente un système encore plus complexe. Nous aurons inévitablement à concevoir une nouvelle manière d'apprendre, de nous fixer des objectifs et d'établir nos priorités. Il nous faudra donc instaurer une nouvelle génération d'instruments et de mécanismes qui feront davantage appel à la participation[13].

La question de la souveraineté de l'État-nation est à l'avant-plan du débat. Dans cette époque de complexité croissante, où se jouent des jeux dynamiques et instables entre réactions de plus en plus intenses à l'échelle planétaire et seuils de tolérance et d'intégration de plus en plus larges, le principe de la souveraineté nationale peut sembler

[13] À ce sujet, lire l'intéressant article de BUSINARO, Ugo Lucio, *From Challenge Perception to Science and Technology Policy*, FAST, Commission des communautés européennes, Bruxelles, décembre 1992.

périmé[14]. Ce qui ne veut pas dire que l'État-nation l'est. Ce serait ici encore trop simple. Ce qui est périmé, par contre, c'est de croire qu'un seul concept, une seule idée, un seul moyen pourront nous sortir de l'impasse. Les solutions simples, pour ne pas dire simplistes, comme celle qui consiste à «détruire» les concurrents au nom de la compétitivité, cadrent mal dans ce monde plus complexe qui est déjà le nôtre.

L'émergence d'une société civile mondiale

Dans ce contexte général, de même que par rapport à d'autres phénomènes examinés plus loin dans ce livre (tels que l'explosion de conflits ethniques et religieux, l'apparition d'une nouvelle pauvreté, la crise des mégalopoles, etc.), un autre élément du «monde global» a aussi vu le jour, soit celui d'une société civile mondiale.

La société civile mondiale est formée de l'ensemble des groupes sociaux et institutions organisés (les associations de bénévoles et sans but lucratif, les ONG, etc.) qui interviennent à l'échelle locale, nationale et planétaire, dans les multiples sphères de l'activité humaine, et qui ont pour but d'améliorer les conditions individuelles et collectives de la société et de favoriser son essor[15].

La société civile mondiale est une nébuleuse. Elle se compose de milliers de groupes et d'organismes dont les préoccupations vont de la non-violence à la préservation des espèces animales en voie de disparition, et de la promotion de l'égalité des chances pour les femmes à la lutte contre la vivisection chez les animaux, de la conservation de la nature et du mouvement écologique sous toutes ses formes au dialogue entre les différentes confessions religieuses, en passant par la lutte contre la torture, la défense des immigrants, l'élaboration de formes nouvelles d'activités économiques, le renforcement de la coopération entre les groupes linguistiques minoritaires de différents pays, la recherche d'une nouvelle déontologie dans le monde des affaires.

La société civile mondiale se veut l'expression des formes hautement

---

[14] Lire CAMILIERI, Joseph A., et FALK, Jim, *The End of Sovereignty? The Politics of a Shrinking and Fragmenting World*, E. Elgar Publishers, Alderslot, Royaume-Uni, 1992.

[15] Lire WALZER, Michael, «Between nation and world», *The Economist*, 11.09.1993, p. 51-54, et CHESNAUX, Jean, «Les ONG: ferment d'une société civile mondiale», *Transversales*, n° 24, Paris, novembre-décembre 1993.

morales et humaines du plaidoyer social de notre monde actuel. Ce militantisme comporte des formes et un contenu divers. On y trouve des mouvements comme Greenpeace et l'Association contre le racisme et la xénophobie, la Croix-Rouge ainsi que le World Wildlife Fund. Ces mouvements disposent d'assises morales et financières importantes, et il y a longtemps qu'on a cessé de sourire lorsqu'on prononce leur nom.

Leur degré de militantisme varie considérablement. Certains groupes et organismes se sont «professionnalisés», comme Amnesty International ou l'association des Amis de la Terre, créés aux États-Unis. Quelques-uns sont devenus de véritables multinationales qui emploient, sur une base permanente, des milliers de personnes de par le monde. Mais d'autres demeurent des entités spontanées, dont les modes d'action et d'intervention font appel au bénévolat et à la bonne volonté des gens. Bien sûr, les ressources financières disponibles jouent un rôle de premier plan. La différence qui existe entre un organisme riche comme le World Wildlife Fund et la très modeste Association internationale pour la défense des groupes linguistiques minoritaires est aussi fondamentale que celle qu'on retrouve entre le Japon et le Burkina Faso. Mais l'important n'est pas tant de connaître leur compte bancaire que de savoir qu'ils existent.

La nébuleuse se caractérise aussi par sa densité et sa concentration dans un nombre restreint de domaines, tels que les mouvements écologiques et environnementaux, les relations Nord-Sud, les droits humains. Les «trous» sont nombreux. En effet, il n'est pas facile d'établir et de maintenir, à l'échelle transnationale et mondiale, des politiques et des mécanismes de coordination efficaces au sein d'organisations émanant de cultures très diversifiées. La Conférence des Nations Unies sur l'environnement et le développement, tenue à Rio en juin 1992, a fait ressortir que la société civile mondiale est encore très fragmentée, non coordonnée et divisée par nombre de clivages (Nord contre Sud; environnementalisme contre développementalisme; réformisme contre «révolution»; «localisme» contre «mondialisme[16]»).

Beaucoup de ces facteurs dépendent de la façon dont les éléments spécifiques de la société civile transnationale ont vu le jour et se sont

---

[16] CHESNAUX, Jean, «Après Rio: tout reste à faire», *Transversales,* n° 16, Paris, 1992.

développés. Dans des pays comme les États-Unis, le Mexique, le Brésil, l'Inde, le Royaume-Uni, la Scandinavie, les Pays-Bas et l'Italie, le bénévolat est une vieille tradition bien ancrée. Tel n'est pas le cas en France, par exemple, où les associations ont été profondément influencées par un État omniprésent et des contraintes qu'il leur a imposées; et au Japon non plus, mais pour des raisons différentes. La même règle s'applique à la plupart des pays africains, latino-américains et asiatiques, où l'État continue de jouer le rôle principal lorsque vient le temps d'organiser et de mobiliser les collectivités et les ressources locales. Mais encore une fois ce jugement «global» mériterait d'être tempéré. Dans bien des cas on trouve des poches et des réseaux qui pratiquent des formes originales de bénévolat et de solidarité. En France, les communautés protestantes ont toujours été une terre fertile pour le bénévolat. À Niamey, les commerçantes du marché se sont réunies dans une association coopérative où se mêlent les intérêts économiques et du bénévolat. Au Québec et dans plusieurs régions allemandes et italiennes, on a fait de la concertation, cette forme nouvelle de bénévolat «intéressé», un principe d'encadrement de l'action économique.

En dépit de ces «limites[17]», la société civile mondiale joue un rôle historique important en ce qui a trait à trois fonctions fondamentales.

D'abord, elle devient peu à peu la conscience morale de la planète. On peut considérer que les religions et leurs Églises qui se veulent universelles expriment aussi une conscience morale mondiale. Cependant, c'est la société civile transnationale qui agit à titre de vecteur et de promoteur des idées et prescriptions d'ordre moral contenues dans la Charte universelle des droits de l'homme.

Si la nébuleuse susmentionnée n'existait pas, il serait difficile de savoir qui, de nos jours, pourrait se faire le porte-parole universel du bon, du beau, du juste, du merveilleux, de la fraternité et de la tolérance. Ce ne sont certes pas les marchés internationaux qui seraient en mesure de se faire entendre sur ce chapitre.

---

[17] Une récente évolution suscite de l'inquiétude tant à l'intérieur qu'à l'extérieur des associations volontaires et des organisations non gouvernementales, à savoir la tendance de nombre d'entre elles à se transformer en des sortes d'entreprises obéissant de plus en plus à une logique financière et à des contraintes de gestion.

Ensuite, cette nébuleuse est capable de façonner et d'exprimer les besoins, les aspirations et les objectifs mondiaux, qui sont devenus une demande sociale mondiale. À bien des égards, la nébuleuse parle au nom de la population mondiale en ce qui touche le développement humain, la liberté, la paix, l'égalité, l'identité culturelle, l'harmonie, la solidarité, la justice, la démocratie politique.

Cette demande sociale est, en effet, axée sur des questions et des problèmes concrets : la lutte contre la famine et la faim dans le monde ; l'amélioration de la situation de la femme au travail, à la maison et dans la vie publique ; la préservation de l'équilibre écologique ; la lutte contre la diminution de la couche d'ozone ; la réduction de la pauvreté, de l'exclusion sociale et de l'intolérance, la disparition des causes principales des guerres entre peuples, groupes ethniques et États.

C'est cette nébuleuse qui a réussi à faire pression auprès des gouvernements et des organisations relevant des Nations Unies afin qu'ils se réunissent et organisent la Conférence de Rio. Les superpuissances ne voulaient pas de ce sommet et ce ne sont pas elles qui l'ont conçu. Les États-Unis, par exemple, se sont montrés peu enthousiastes à l'idée d'y participer, et le président américain n'a confirmé sa présence que peu de jours avant son ouverture, après avoir obtenu l'assurance que les objectifs de négociation visés par les États-Unis seraient respectés. Ce ne sont pas non plus les multinationales, ni les syndicats qui en ont eu l'initiative. L'idée de la Conférence de Rio est venue des associations volontaires et des ONG, par suite de la Conférence sur l'environnement de Stockholm, en 1972.

L'existence d'une demande sociale mondiale constitue un phénomène extraordinaire, car elle forme la base — bien qu'encore confuse et fragile — de négociations explicites et tacites en vue de la définition et de la réalisation d'un contrat social mondial.

La Conférence de Rio a été un événement remarquable sur le plan historique, en ce sens qu'elle a donné lieu à la première véritable négociation mondiale sur le problème de la richesse de la planète. La réunion portait en fait sur la manière d'orchestrer les conditions et les moyens essentiels au développement durable de l'économie mondiale, pour que la qualité de vie élevée des pays développés soit compatible avec la solution à apporter aux problèmes des milliards de personnes vivant dans les pays moins évolués et pauvres, et ce, sans mettre en danger la biosphère.

La conférence a donné naissance au Programme 21, qui fournit la liste des engagements que les gouvernements et les dirigeants politiques de plus de 120 pays ont pris à ce «Sommet de la Terre[18]».

On peut penser que les négociations ont été en partie infructueuses en comparaison du nombre et de la portée des accords formels qu'on s'attendait à voir signer. Ce qui compte, cependant, c'est qu'elles aient eu lieu ! Et des leçons en ont été tirées pour l'avenir. L'une d'elles est très encourageante: les négociations sont utiles et ont de bonnes chances de réussir non seulement lorsqu'il s'agit de concilier des intérêts divergents, comme ce fut le cas pour l'Accord du GATT, mais aussi lorsque des problèmes et des projets communs sont en jeu. La Conférence de Rio a donc ouvert de nouvelles perspectives.

Ce qui nous mène à la troisième fonction essentielle de la société civile mondiale, soit sa capacité de représenter une offre politique mondiale et d'être porteuse de solutions concrètes aux problèmes de la planète. Elle n'est pas uniquement une conscience morale, pas plus qu'elle n'a comme seul rôle d'exprimer des besoins et des aspirations. Par ses formes multiples et les actes qu'elle accomplit à divers échelons, elle contribue aussi à résoudre les problèmes. Elle propose des façons différentes d'aborder les questions et de relever les défis.

Jusqu'à présent, cette fonction a pu s'exercer grâce à l'existence des diverses organisations internationales regroupées sous l'aile des Nations Unies. Ces dernières ont graduellement associé à leurs activités les ONG et les associations volontaires, de sorte que, de nos jours, la société civile transnationale est la plupart du temps identifiée aux réussites et aux échecs du réseau que forme l'ONU. Parmi les exemples récents, mentionnons le travail d'Amnesty International ainsi que les efforts de ces groupes d'Amérique du Nord qui insistèrent pour que le texte final de l'ALENA comprenne des dispositions sur le développement durable et sur la protection de l'environnement. De

[18] Lire *The Earth Summit's Agenda for Change,* version simplifiée du Programme 21 et des autres accords de Rio, Centre for Our Common Future, Genève, 1993.

plus en plus, les gouvernements nationaux doivent tenir compte de l'activité d'une multitude de groupes et d'associations qui réussissent souvent plus facilement qu'eux à forger des alliances transnationales. Peu à peu, ces groupes, devenus les principaux propagandistes d'une nouvelle façon de faire les choses, ont forcé les puissants de ce monde, États-nations et multinationales, à sortir du paradigme de leur égoïsme calculé pour coopérer.

La société civile mondiale dépeinte jusqu'ici, celle des ONG et des groupes, est la plus visible et la mieux organisée, mais elle n'est pas la seule. Il existe un autre élément important, celui des «nouvelles élites éclairées de la planète» auxquelles nous avons déjà fait allusion quand nous avons traité du développement du «monde» global. Ces élites proviennent, pour la plupart, de l'Amérique du Nord, de l'Europe de l'Ouest et de l'Asie du Sud-Est, une infime minorité d'entre eux étant originaires de l'Afrique, de la Russie, de l'Amérique latine et du reste de l'Asie. En leur sein, on trouve une génération d'industriels, de chefs de file du milieu des affaires et de gestionnaires qui sont en train d'édifier les réseaux mondiaux des sociétés multinationales, de concevoir et de mettre en œuvre des stratégies globales destinées aux nouveaux produits, infrastructures, normes, services et marchés du monde entier, tout en étant animés d'une vision humaniste et d'un sens marqué de leur responsabilité sociale à l'égard des générations présentes et futures.

Certes, leur système de valeurs gravite autour de concepts comme la compétitivité et le leadership mondial, l'efficacité planétaire et une pensée globale. Mais ils sont sensibles à la qualité (plutôt qu'à la quantité), à la diversité (de préférence à l'homogénéisation), au «toyotisme» (plus qu'au «fordisme») et à la nécessité d'éliminer des niveaux hiérarchiques au sein de leur propre milieu. Ils s'intéressent aussi, de plus en plus, aux facteurs humains (plutôt que de les ignorer ou de les blâmer), ainsi qu'à l'identité et à la spécificité culturelles. Tous sont en situation d'apprentissage.

Ces élites comptent également dans leurs rangs cette nouvelle génération de politiciens et de fonctionnaires bien formés qui ont, en grande majorité, adhéré à l'idéologie et aux principes de l'économie de marché libérale, sans pour autant tomber dans le piège des formes extrêmes que cette idéologie a prises sous l'influence du reaganisme et du thatcherisme. Ils ont été, et continuent d'être les principaux acteurs de l'établissement et de l'expansion du système de Bretton Woods et du réseau des Nations Unies, de même que de la riche toile tissée par les organisations internationales intergouvernementales. De nombreux représentants de l'intelligentsia issue du milieu de l'enseignement et des universités, des médias, des syndicats et des arts font également partie de ces nouvelles élites.

Les membres de ces élites transnationales ont souvent reçu une formation identique, dans son esprit sinon dans sa forme, dans les universités et les collèges du «Nord». Non seulement ils parlent la même langue du point de vue linguistique (soit l'anglo-américain), mais aussi pour ce qui est des schémas de pensée. Ils partagent, dans une large mesure, les mêmes valeurs et ont des opinions semblables sur l'économie, la société et le monde.

Sous l'angle de la culture et de la politique, ils se perçoivent au centre du monde et de l'ordre planétaire qu'ils sont en train d'instaurer et de gérer. Il ne saurait donc être question de les idéaliser. Ces élites ont cependant conscience que les principes, les objectifs, les modalités et les résultats fondamentaux des anciens processus de modernisation industrielle ne sont plus valables.

Ainsi, se rendent-elles compte que la croissance industrielle du siècle dernier s'est transformée en une menace pour l'écologie. Elles voient bien que la croissance quantitative ne peut continuer à être le moteur principal de l'innovation et de l'utilisation des ressources. Parallèlement, elles comprennent que l'augmentation de l'efficacité économique ne peut être vue comme le seul objectif de la recherche-développement, ni non plus comme l'unique motif du comportement des dirigeants et des entreprises. Ces élites croient également qu'il faut innover en matière de procédés et de politiques si l'on veut mettre en place un nouveau type de croissance et de modernisation économique, seul capable de vaincre le taux de chômage croissant qui sévit dans les pays de l'OCDE et la pauvreté qui se répand dans le monde.

Comme exemple de ces nouvelles élites éclairées, citons le cas des industriels, gestionnaires et experts qui composent le Business Council for Sustainable Development, organisme créé par Stephan Schmidheiny, auteur de *Changer de cap*[19], publié au début de 1992. Cet ouvrage constitue un manifeste convaincant en faveur du développement durable proposé par le rapport Bruntland (*Our Common Future*).

Mais de telles études, celles de la société civile mondiale ou des ONG, demeurent le fait des élites. Vues de la Corrèze, de Cotonou ou du Wyoming, ces élites donnent souvent l'impression de vouloir servir des leçons au reste de la planète. Il arrive aussi qu'elles servent des intérêts spécifiques, ce qui mine leur crédibilité auprès de ceux pour qui le développement durable et la protection de la couche d'ozone sont encore des réalités fort éloignées. Et puis, disons-le franchement, ces élites sont capables d'une certaine arrogance tant elles ont la conviction d'être en possession tranquille de la vérité, qui est en fait leur vérité. S'il faut saluer et encourager le développement de cette avant-garde civile mondiale, il faut aussi s'assurer qu'il repose sur des bases démocratiques et se réalise dans un esprit d'ouverture. Ce n'est pas de leçons de morale que la planète a besoin, mais de solutions.

La réorganisation de l'économie et de la société mondiale

Malgré l'importance de l'imagerie entourant la mondialisation et les réseaux mondiaux d'information et de communication qui ont explosé ces dernières années, ce ne sont pas ces facteurs qui ont donné naissance au nouveau «monde global». Ces phénomènes ne représentent pas non plus des facteurs critiques, susceptibles d'influencer et d'orienter les choix individuels et collectifs vers un monde global équilibré, axé sur l'intégration et la coopération ou, au contraire, vers un monde global fragmenté, conflictuel et compétitif. Les principaux véhicules de la «fabrication» du monde global sont les personnes, leurs systèmes de valeurs, leurs objectifs et les moyens dont elles disposent pour atteindre leurs buts.

Le «monde global» en gestation est le fruit des idées, des aspirations, des stratégies et des ressources des individus, des groupes et

[19] SCHMIDHEINY, Stephan, en collaboration avec le Business Council for Sustainable Development, *Changer de cap: réconcilier le développement de l'entreprise et la protection de l'environnement, op. cit.*, 1992.

des institutions. Il est aussi le fruit des normes, des règles et des institutions que des gens différents font intervenir pour influer sur le cours des événements et en avoir la maîtrise. En ce sens, la mondialisation est un processus différent des anciens phénomènes d'internationalisation et de multinationalisation.

Mondialisation, internationalisation et multinationalisation

Bien que ces trois notions soient en général utilisées indistinctement, l'internationalisation, la multinationalisation et la mondialisation font appel à des processus différents. Plus important encore, elles sous-entendent la participation d'acteurs divers qui ont recours à des règles du jeu dissemblables, et elles ont des répercussions passablement différentes sur les stratégies, les politiques et les sociétés[20].

L'internationalisation de l'économie et de la société s'entend de l'ensemble des échanges de matières premières, de produits semi-finis et finis, de services, d'argent, d'idées et de gens qui s'effectuent entre ces entités statistiques que sont les pays. Ce sont les statistiques ayant trait au commerce extérieur et aux mouvements de population qui constituent les instruments de mesure et de surveillance les plus visibles, et qui permettent d'évaluer la nature, l'étendue et l'orientation de l'internationalisation.

Depuis des milliers d'années, les habitants de la terre échangent des biens et des services et se transportent d'un pays à l'autre, librement ou par la force. À l'époque moderne du capitalisme national, l'internationalisation s'est installée par le biais de la colonisation et de la montée du mercantilisme. En ce sens, George Modelski n'a pas eu tort lorsqu'il s'est servi, en 1972, du terme «mondialisation» pour décrire la volonté des Européens de se rendre maîtres des terres étrangères et de les intégrer dans un système unique d'échanges commerciaux mondiaux[21]. C'est à cette dimension d'expansion, appliquée cette fois au capitalisme marchand, qu'a fait référence l'historien

[20] Une première tentative pour différencier les trois phénomènes a été faite par BEAUD, Michel, *L'économie mondiale dans les années 80,* La Découverte, Paris, 1989. Lire aussi PETRELLA, Riccardo, «La mondialisation de l'économie, une hypothèse prospective», *Futuribles,* Paris, septembre 1989.

[21] MODELSKI, George, *Principles of World Politics,* Free Press, New York, 1972.

Fernand Braudel[22] lorsqu'il a utilisé l'expression française «économie-monde» dans la grande fresque qu'il a peinte de la naissance du capitalisme.

Au fil des siècles, le modèle et le degré d'internationalisation se sont modifiés, tout comme les anciennes puissances se sont désintégrées pour faire place à de nouvelles puissances aux intérêts et aux stratégies autres.

Les idées aussi furent appelées à changer. Ainsi, dès qu'un État prenait en main les destinées d'une colonie et son expansion commerciale, cette prise de pouvoir s'accompagnait de nouvelles théories et doctrines ayant pour but de justifier les rapports de domination qui venaient de s'établir. Par exemple, lorsque les Provinces-Unies se hissèrent au premier rang du commerce mondial, l'érudit hollandais Grotius élabora sa doctrine selon laquelle les océans n'appartenaient à personne, doctrine destinée à mettre en cause la division des océans décrétée par les Espagnols et les Portugais, et sanctionnée par le pape[23]. De la même manière, on eut recours à la théorie de Ricardo sur les avantages comparés des coûts pour appuyer la supériorité commerciale des Britanniques tout au long du XIXe siècle, ainsi que celle des Américains après la Seconde Guerre mondiale.

Le procédé est encore valable de nos jours. Comme l'ont souligné justement Winfried Ruigrok et Rob van Tulder, la théorie relative à la mondialisation conçue par K. Ohmae «sert à rationaliser l'internationalisation et la mondialisation des sociétés japonaises, au même titre que le modèle du cycle de vie d'un produit a été utilisé pour rationaliser la multinationalisation américaine[24]».

---

[22] BRAUDEL, Fernand, *Civilisation matérielle, économie et capitalisme : XVe-XVIIIe siècle*, 3 vol., Armand Colin, Paris, 1986.

[23] On trouvera une analyse complète et bien documentée sur la mondialisation dans la thèse de doctorat de RUIGROK, Winfried, et van TULDER, Rob, *The Ideology of Interdependence*, thèse de doctorat, Université d'Amsterdam, juin 1993, 497 p.

[24] RUIGROK, Winfried, et van TULDER, Rob, *op. cit.*, p. 26. Ces auteurs estiment que l'*idéologie de la mondialisation* présentée par Ohmae comporte un objectif à la fois national et étranger. D'une part, on recommande aux Japonais de se comporter en «bons citoyens du monde» et d'établir de bonnes relations avec les pays et régions où ils choisissent de s'établir; le terme *glocalisation* inventé par les Japonais traduit ce devoir. D'autre part, on presse le gouvernement japonais de réduire son rôle dans l'économie du pays et d'abattre les dernières barrières commerciales et les derniers obstacles à l'investissement, au profit des entreprises étrangères, conformément aux règlements du GATT.

L'internationalisation de l'économie et de la société fait intervenir des acteurs nationaux. Les autorités publiques des pays en cause y jouent un rôle majeur, dirigeant et contrôlant le flux des échanges au moyen d'instruments monétaires, des impôts et des taxes, des politiques fiscales, des marchés d'approvisionnement publics et de normes. Elles ont la mainmise sur les mouvements de population et statuent sur les questions de citoyenneté, fermant ou ouvrant les frontières à leur gré.

Dans un contexte d'internationalisation de l'économie, la concurrence qui s'exerce entre les entreprises de différents pays est essentielle pour assurer et maintenir une balance commerciale positive dans chaque secteur. La libéralisation des échanges a constitué l'idéologie de base ainsi que la prescription des 50 dernières années, et le GATT (l'Accord général sur les tarifs douaniers et le commerce), l'instrument institutionnel qui a servi à promouvoir et à sauvegarder la libéralisation des rapports commerciaux à l'échelle internationale.

Le graphique 1 illustre la croissance ininterrompue de l'internationalisation de l'économie depuis les années 1950.

Graphique 1 — Les exportations et la production dans le monde

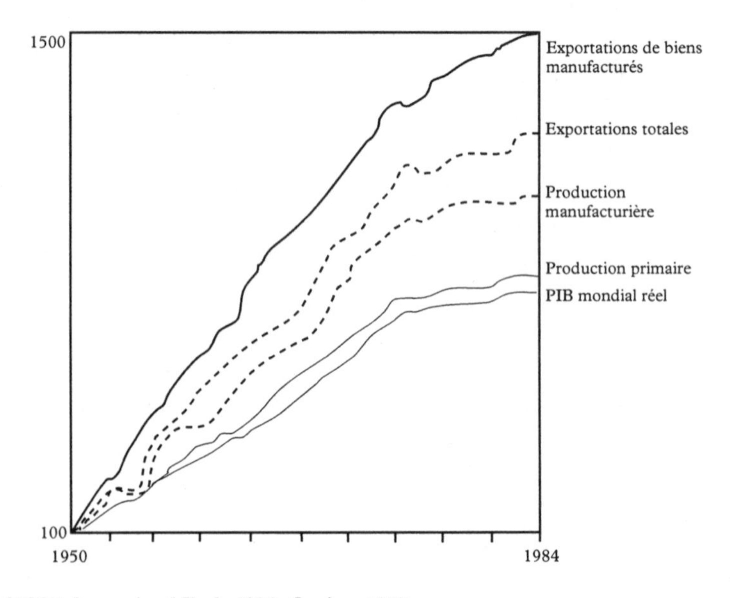

Source: GATT, *International Trade 1986,* Genève, 1987.

La multinationalisation de l'économie et de la société se caractérise essentiellement par le transfert et la «délocalisation» des ressources, surtout du capital et, à un degré moindre, de la main-d'œuvre d'une économie nationale à une autre. Une forme typique de multinationalisation de l'économie consiste pour une entreprise à créer des capacités de production dans un autre pays à l'aide de filiales directes, d'acquisitions ou de formes diverses de coopération (commerciale, financière, technologique et industrielle). Une multinationale est précisément une société dont les activités se sont graduellement étendues à d'autres pays (voir le graphique 2).

La multinationalisation économique répond à une logique d'expansion du marché selon laquelle la combinaison des facteurs de production ne doit plus se limiter aux espaces nationaux, mais obéir plutôt à des mécanismes et à des procédés sous-entendant la multiterritorialisation (ou multinationalisation) des activités liées à la fabrication des produits[25].

La théorie de la division internationale du travail ne suffit plus à elle seule pour expliquer le comportement des entreprises et le fonctionnement global de l'économie. Il est désormais plus utile de faire appel aux théories portant sur la conduite des affaires et sur la gestion pour comprendre de quelle manière une société s'approprie et contrôle des parts du marché et cherche à maximiser ses profits dans son propre intérêt. Ce sont là les forces à la base de la multinationalisation[26].

Par l'intermédiaire de la multinationalisation, un agent économique d'un pays acquiert la capacité d'influencer et de contrôler l'économie d'une autre nation, de même que son avenir. Voilà pourquoi, contrairement aux processus d'internationalisation, les pays ont pris parfois des mesures de limitation et de contrôle vis-à-vis de l'implantation massive ou stratégique de sociétés appartenant à des intérêts étrangers (dans le passé, le plus souvent d'origine américaine). De nos jours, ce sont les Japonais qui font les frais des craintes suscitées par leur présence. Les États-Unis, comme bien des pays européens et

[25] Lire HENDERSON, Jeffrey, et CASTELLS, Manuel (éds), *Global Restructuring and Territorial Development*, Sage Publications, Londres, 1987.

[26] HOWELL, Jeremy, et WOOD, Michael, *The Globalisation of Production and Technology*, Belhaven Press, Londres et New York, 1993.

Graphique 2 — AT&T dans le monde. Un exemple de multinationalisation économique (1990)

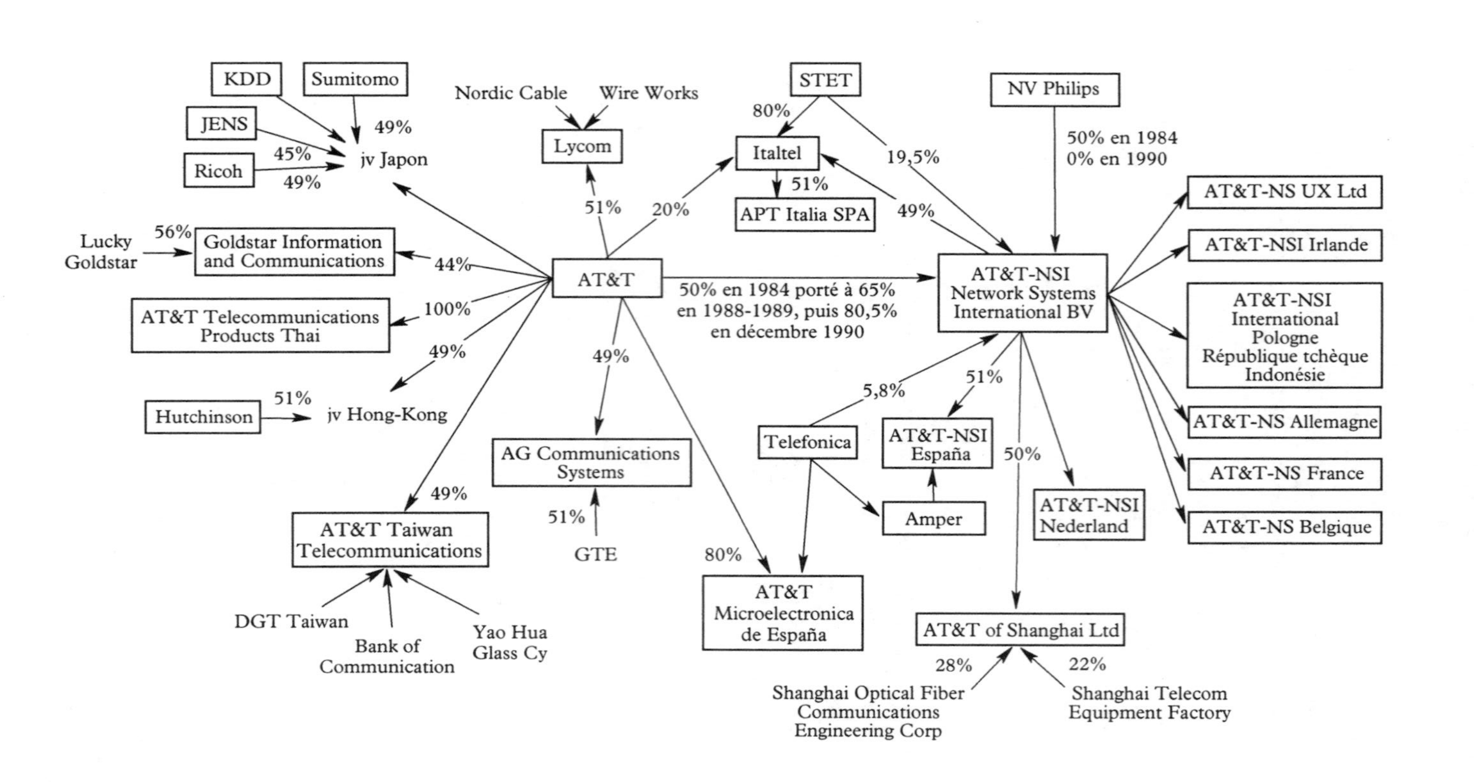

asiatiques, s'inquiètent de la rapidité avec laquelle les entreprises japonaises pénètrent dans un nombre toujours croissant de secteurs économiques de premier plan ainsi que de l'ampleur de cette infiltration. Demain, ce sera peut-être au tour de la Corée ou de Taiwan de susciter les mêmes craintes.

Les gouvernements se voient contraints de soutenir les entreprises dans leurs efforts pour se «multinationaliser» de façon efficace et durable. Leur appui est à la fois offensif (en soutenant activement les capacités compétitives de leurs multinationales) et défensif (en érigeant des obstacles à l'implantation de firmes multinationales étrangères). Bien d'autres moyens existent pour freiner cette pénétration. Ainsi, les règlements antitrusts permettent de protéger l'économie nationale contre les pressions et la domination qu'exercent les sociétés étrangères concurrentes. Bien sûr, les entreprises rejettent toute forme de protectionnisme lorsqu'elles se croient capables de remporter la victoire. Si, au contraire, elles se savent vulnérables et estiment qu'elles peuvent perdre la bataille, elles n'hésitent pas à demander la «protection» de «leur» gouvernement.

Sur une plus vaste échelle, la multinationalisation de la société suppose que les agents sociaux nationaux (qu'il s'agisse d'universités, de journaux, d'églises, de syndicats) sont capables de s'étendre, en s'insérant dans d'autres contextes nationaux, et de se transformer de l'intérieur, tout en préservant leur spécificité. Mais ils peuvent, à l'inverse, se trouver sous l'influence et l'emprise d'agents nationaux étrangers qui, à leur tour, les modifieront. En somme, ces divers facteurs, institutions et processus nationaux sont de plus en plus imbriqués dans des systèmes de coexistence et de codéveloppement sur des bases multinationales. Pour exprimer un tel mouvement, une notion comme la «transnationalisation» convient également.

Finalement, notons que la mondialisation de l'économie et des sociétés est un phénomène tout à fait récent, nouveau, aux facettes multiples et variées. Certaines peuvent disparaître d'ici 10 à 15 ans ou perdre de leur pertinence.

Les facteurs nationaux continuent d'influer sur la manière dont la mondialisation transforme le visage de l'économie et de la société d'un pays. Il n'existe pas de modèle unique de mondialisation. C'est pourquoi il a été tellement difficile, jusqu'à présent, de lui trouver une définition acceptée par tous[27].

On peut observer plusieurs formes de mondialisation:

- la mondialisation du secteur financier;
- la mondialisation des marchés et des stratégies;
- la mondialisation de la technologie, de la R-D et des connaissances correspondantes;
- la mondialisation des modes de vie et des modèles de consommation, qui rejaillit sur la culture;
- la mondialisation des pouvoirs et des compétences en matière de réglementation et d'autorité;
- la mondialisation sous forme d'unification politique planétaire;
- la mondialisation des perceptions de la condition humaine, conscience planétaire.

Le tableau 3 (à la page suivante) dresse la liste des concepts et des processus actuels sur lesquels s'appuie la mondialisation.

Aucune de ces formes de mondialisation n'illustre, de façon complètement satisfaisante, la nature et les caractéristiques de la mondialisation. Leurs principaux théoriciens ne peuvent donc prétendre détenir une plus large part de la vérité que les autres.

Un fait intéressant à noter ressort de ce qui précède: les changements survenus durant ces 15 à 20 dernières années sont tellement profonds et touchent de si nombreux domaines (finance, réseaux de communication, infrastructures, organisation des entreprises, cadres de réglementation, transport, circulation des biens et des services, modèles de consommation, systèmes de valeurs, rôle de l'État-nation, croissance démographique, géopolitique) que les concepts et notions

---

[27] RUIGROK, W., et van TULDER, R., *op. cit.,* font mention d'un document de travail de la Berkeley Round-Table on the International Economy (BRIE), *Globalisation and Production,* University of California, Institute of International Status, Working Paper, US, 1991, où l'on remarque qu'en 1990 quelque 670 articles publiés dans d'importantes revues sur les affaires et l'économie utilisaient les termes «mondial» ou «mondialisation» dans leur titre, alors qu'on n'en dénombrait que 50 en 1980.

Tableau 3 — Les concepts de la mondialisation

Catégories	Principaux éléments ou processus
1. Mondialisation de la finance et du capital	1. Déréglementation des marchés financiers, mobilité internationale du capital, hausse du nombre de fusions et d'acquisitions. La mondialisation des portefeuilles d'actions en est à ses débuts.
2. Mondialisation des marchés et des stratégies	2. Intégration des activités des entreprises à l'échelle mondiale, établissement à l'étranger d'opérations intégrées (dont la R-D et le financement), recherche de composantes et d'alliances stratégiques aux quatre coins du globe.
3. Mondialisation de la technologie, de la R-D et des connaissances correspondantes	3. La technologie est l'enzyme première: l'émergence de la technologie informatique et des télécommunications permet d'établir des réseaux mondiaux au sein d'une même entreprise et entre plusieurs sociétés. La mondialisation sert de processus d'universalisation du «toyotisme» et de la production verticale.
4. Mondialisation des modes de vie et des modèles de consommation; mondialisation de la culture	4. Transfert et transplantation de modes de vie prédominants. Égalisation des modèles de consommation et rôle joué par les médias. Transformation de la culture en «aliment culturel» et en «produits culturels». Le GATT impose ses règles aux échanges culturels.
5. Mondialisation des compétences en matière de réglementation et d'autorité	5. Rôle amoindri des gouvernements et parlements nationaux. Tentatives de conception de nouvelles règles et institutions en vue d'un gouvernement mondial.
6. Mondialisation à titre d'instrument d'unification politique planétaire	6. Analyse, menée par les États, de l'intégration des sociétés dans un système politique et économique mondial dirigé par un pouvoir central.
7. Mondialisation des perceptions, conscience planétaire	7. Processus socioculturels axés sur «une seule planète». Le mouvement «mondialiste» Citoyens de la Terre.

Source: Tableau revu et augmenté, d'après W. Ruigrok et R. van Tulder, *The Ideology of Interdependence,* thèse de doctorat, Université d'Amsterdam, juin 1993.

comme l'internationalisation et la multinationalisation sont incapables de décrire avec justesse les événements et d'en expliquer le sens. Ce n'est pas seulement parce que de nouveaux concepts comme celui de la mondialisation sont à la mode que de plus en plus de gens y font référence, mais parce qu'on a besoin de comprendre des processus qui perdent de leur visibilité et de leur signification si l'on utilise des concepts traditionnels pour les décrire.

Certes, les théories relatives à la mondialisation ne sont pas toutes automatiquement pertinentes et justifiées, tout comme il ne suffit pas de les fusionner de manière syncrétique pour détenir l'ultime vérité.

Notre définition se rapproche davantage de celle que proposent McGrew et ses collègues, à savoir que, en matière de nouveau concept, un peu d'humanité n'a jamais nui.

> La mondialisation est le fait des multiples liens et interconnexions qui unissent les États et les sociétés et contribuent à former le présent système mondial. Elle décrit le processus selon lequel des événements, des décisions et des activités ayant cours en un point de la planète finissent par avoir d'importantes répercussions sur des individus et des collectivités vivant très loin de là.
>
> La mondialisation se manifeste par deux phénomènes distincts : par sa portée et par son intensité. D'une part, elle s'entend d'un ensemble de processus qui englobent presque la terre entière ou se déroulent à l'échelle mondiale ; le concept prend alors une connotation d'ordre spatial. D'autre part, elle suppose une intensification des degrés d'interaction, d'interconnexion ou d'interdépendance qui se jouent entre les États et les sociétés et qui constituent la communauté mondiale. L'extension des processus va donc de pair avec leur approfondissement [...]. Loin d'être une notion abstraite, la mondialisation est à la base de l'une des caractéristiques de l'existence moderne qui nous est des plus familières [...]. Bien sûr, la mondialisation ne veut pas dire que notre monde soit en train de devenir plus uni politiquement, plus interdépendant économiquement et plus homogène culturellement. La mondialisation demeure un phénomène très inégal dans son extension et très différencié dans ses conséquences[28].

Les formes courantes de mondialisation ne signifient pas que le processus actuel de mondialisation soit un processus au-dessus de tout soupçon qui mériterait, de ce fait, un soutien politique et une adhésion

---

[28] Mc GREW, Anthony G., et LEWIS, Paul *et al.*, *Globalisation and the Nation State,* Polity Press, Cambridge, 1992, p. 22 (notre traduction). Nous sommes conscients du fait que cette proposition n'est pas partagée par toutes les personnes issues des milieux de la recherche, de la politique et des affaires. Pour beaucoup, l'importance et le caractère de nouveauté que l'on prête à la mondialisation sont simplement exagérés. Lire par exemple PATEL, P., et PAVITT, K., « Large Firms in the Production of the World's Technology: An Important Case of Non-globalisation », *Journal of International Business Studies,* premier trimestre, 1991, p. 1-21. Généralement, ces auteurs croient que le « système national » demeure la voie la plus marquante de nos sociétés contemporaines. En ce sens, *le système national d'innovation* est bien plus important et joue un rôle bien plus déterminant que tous les processus mondiaux que nous avons décrits. Lire en particulier la thèse de PORTER, Michel E., *The Competitive Advantage of Nations,* Macmillan Press, London, 1990.

culturelle. Elles ne supposent pas non plus qu'il faille accepter et respecter les conditions et les contraintes implicites imposées par la mondialisation actuelle.

En effet, la plupart des traits dominants de la mondialisation contemporaine soulèvent de sérieuses inquiétudes quant aux problèmes qu'ils occasionnent déjà, ainsi qu'aux situations et aux répercussions indésirables qu'ils risquent de provoquer dans l'avenir si les formes actuelles de mondialisation demeurent ce qu'elles sont.

Du capitalisme national au capitalisme mondial

Selon nous, le «nouveau monde global» qui émerge de la mondialisation débouche sur la proposition suivante: l'avenir de chacun de nous se fabrique à l'échelle du monde. Le processus de mondialisation marque le début de la fin du système national en tant qu'alpha et oméga des activités et des stratégies planifiées par l'homme.

Pendant des siècles, l'histoire de nos sociétés s'est caractérisée par la prédominance de dynamiques à caractère national. Ainsi, l'État-nation a été considéré comme la forme ultime d'organisation politique et sociale et l'identité nationale a été le critère qui déterminait pour toujours, un peu à la manière d'un code génétique, l'existence et la personnalité des individus et des groupes sociaux; l'économie nationale a constitué l'unique forme d'économie qui semblait cohérente et intégrée. L'histoire nationale (la langue nationale, la culture nationale, le réseau ferroviaire national, le système d'éducation national, l'équipe nationale de rugby, la démocratie nationale, etc.) a servi de noyau central autour duquel la société s'est bâtie. Tout processus a été défini en fonction de la dimension nationale: extrinsèque (internationale, multinationale, supranationale, transnationale) et intrinsèque (intranationale, subnationale, infranationale).

Les États-nations ne sont pas disparus. Et nous ne croyons pas non plus qu'ils soient sur le point de le faire. Le processus de création d'États-nations modernes a même progressé au cours des 30 dernières années (par suite de la décolonisation) et récemment (après l'effondrement de l'Union soviétique). De nouveaux États-nations ont ainsi fait leur apparition sur la carte politique du monde. D'autres le feront très bientôt. Il est donc quelque peu simpliste d'affirmer que cette forme d'organisation politique de la société est devenue à la fois trop étroite et trop vaste, en ce qu'elle ne permettrait pas de faire face à certains problèmes qui se posent à l'échelle planétaire ni d'affronter les enjeux qui se posent sur la scène locale[29]. Mais c'est un fait que, de plus en plus, on remet en question la pertinence de la souveraineté de l'État-nation ainsi que sa prétention à jouer un rôle hégémonique dans les affaires régionales et mondiales. L'État-nation va survivre, mais il va devoir partager la gouverne du monde avec d'autres formes et d'autres organisations. Il va devoir se réinventer et s'appuyer sur la mondialisation. S'il ne le fait pas, l'État-nation va suivre la voie tracée par les empires et les féodalités, c'est-à-dire qu'il va disparaître.

Il est, par exemple, un domaine où les prétentions entretenues par les États-nations à l'égard de leur souveraineté ainsi que les barrières érigées par les pays représentent un sérieux problème: celui de la protection et de la gestion de l'environnement. En quelques heures à peine, l'explosion de Tchernobyl a fait ressortir les distorsions qui séparent le modèle théorique et politique prôné par l'État souverain de la réalité technologique et environnementale de la biosphère[30]. Mais paradoxalement aussi, — et Tchernobyl nous le rappelle — seuls les États-nations sont capables, par l'intermédiaire de leur système de gouverne «interne», de mettre en œuvre des politiques susceptibles de résoudre ces problèmes globaux. N'oublions pas que les pas importants faits par l'humanité — la création des Nations Unies, par exemple — dans la recherche d'un meilleur équilibre ont été le fruit des États-nations.

Parallèlement, les langues et les cultures nationales n'ont pas perdu de leur importance — ce serait plutôt le contraire — mais elles ne sont plus

---

[29] Selon la formule consacrée utilisée par BELL, Daniel, *Vers la société post-industrielle,* Robert Laffont, Paris, 1976.

[30] Depuis les années 1950, de très fortes critiques se sont élevées contre les effets négatifs découlant du maintien d'une multitude d'États-nations qui défendent leur souveraineté absolue, de la part notamment des membres de Pugwash, l'association de scientifiques formée par Albert Einstein et Bertrand Russell après Hiroshima. Lire ROTBLAT, Joseph, président de Pugwash, «Removing Incentives to Waging War», *Pugwash Newsletter,* octobre 1991.

perçues comme les formes ultimes de l'ingéniosité individuelle et collective. À cet égard, le multilinguisme et le développement interculturel sont devenus à la fois des atouts et des projets de société stimulants.

Bien d'autres exemples pourraient être fournis. Il importe de souligner, cependant, qu'au fur et à mesure que le processus de mondialisation se manifeste, nous assistons au commencement de la fin du «national» en tant que *seul* point de départ et d'arrivée stratégique pour les acteurs scientifiques, économiques, sociaux et culturels. Le palier «national» continue d'avoir son importance, mais il ne constitue plus l'unique niveau stratégique pour les acteurs clés du développement scientifique, de l'innovation technologique et de la croissance socio-économique[31]. D'ailleurs, on assiste de plus en plus à une redéfinition du concept même de national. Il n'y a pas si longtemps ce dernier était (faussement) synonyme d'homogénéité linguistique ou ethnique. Un pays, une nation, une identité. Ce n'est plus le cas. Identifier à des fins économiques pays et nation n'est plus souvent qu'une convention de langage. La Lombardie, la Californie et le Bade-Wurtemberg sont là pour nous le rappeler.

La mondialisation grandissante de l'économie sape l'une des principales assises de l'État-nation, le marché national. L'espace national, en tant qu'espace économique stratégique est peu à peu remplacé par l'espace mondial. Cela ne veut pas dire que la puissance de l'État-nation, en particulier l'État militaire, aille en s'amenuisant, ni que les États-nations cèdent leur place, à l'intérieur de la sphère économique, aux entreprises transnationales. Il n'est pas certain que les entreprises transnationales l'emportent finalement sur les États-nations comme il est loin d'être évident, comme certains le prétendent, que ces entreprises transnationales sont des organisations plus démocratiques que les États-nations[32].

Il ne faut pas penser non plus que l'économie nationale est moins importante. Dans bien des cas, c'est même le contraire, spécialement en ce qui a trait aux économies moins développées des nouveaux

[31] Lire PETRELLA, Riccardo, «Technology and Firm», *Technology and Strategic Management,* vol. 1, n° 4, 1989.

[32] Lire la proposition plutôt mal fondée de WENDT, Henry, *Global Embrace: Corporate Challenge in Transnational World,* Harper, New York, 1993.

États-nations. Il n'y a qu'à observer la course au leadership économique à laquelle participent les «économies nationales» les plus évoluées pour s'en convaincre. Mais l'économie nationale n'est plus la règle qui mène le jeu, bien que ce soit en son nom que l'on prétende organiser la course à la compétitivité.

La production de la richesse en Allemagne, en France, au Japon, en Finlande et au Costa Rica ne dépend plus du rendement des entreprises, de la technologie, de la main-d'œuvre et du capital local, mais de la présence sur le territoire national d'entreprises intégrées à des réseaux mondiaux, lesquels sont mus par des intérêts et une logique non liés aux intérêts des pays susmentionnés. Le Produit national brut est même de plus en plus tributaire de technologies conçues, fabriquées et transformées partout dans le monde, de capitaux disponibles et accessibles aux quatre coins de la planète et d'une main-d'œuvre qualifiée qui n'est pas nécessairement formée dans son pays d'origine[33]. Pour les entreprises de l'Île-de-France, ce qui est décidé à Stuttgart, Milwaukee ou Saint-Pétersbourg a souvent plus d'importance que ce qui est décidé rue de Rivoli. Plusieurs d'entre elles ont appris à leurs dépens à ne pas en tenir compte.

Pendant de nombreuses décennies et, dans certains cas, des siècles, l'économie et la modernisation industrielles ont été essentiellement le fait de l'industrie dite nationale. On aurait tort de déclarer mort le capitalisme national, mais on aurait toutefois raison d'affirmer qu'il a cessé d'être l'unique forme cohérente d'organisation du capital et de penser que sa prédominance disparaîtra assez rapidement au cours des décennies à venir. Les frontières nationales ne définissent et ne limitent plus l'histoire du capitalisme[34].

Nous ne sommes donc pas entrés dans une ère postcapitaliste. La

---

[33] La thèse selon laquelle l'économie d'un pays dépend de moins en moins des entreprises, de la technologie et des capitaux nationaux constitue l'argument central de REICH, Robert, *L'économie mondialisée,* Dunod, Paris, 1993. Lire aussi la très intéressante étude théorique et documentaire de BEAUD, Michel, *L'économie mondiale dans les années 80, op. cit.,* 1989.

[34] Le débat qui se déroule entre les partisans et les détracteurs de la mutation du capitalisme national vers un capitalisme mondial vient de s'enrichir de la question du capitalisme «communautaire» et «sauvage». Aux États-Unis, par exemple, Lester Thurow et Robert Reich sont des défenseurs du capitalisme «communautaire». Ils se rapprochent en cela du raisonnement que tiennent la plupart des leaders allemands qui adhèrent au principe du «sozialmarkt Kapitalismus».

puissance économique et sociopolitique repose toujours en grande partie sur la possession du capital et, plus important encore, sur le contrôle des capitaux qui permettent de maîtriser et d'orienter l'utilisation des ressources matérielles et non matérielles de la planète en fonction de l'intérêt maximal de celle-ci. Le point de rupture qui se forme ne se situe pas entre une société capitaliste et une autre postcapitaliste, ni non plus entre un «bon» capitalisme (l'économie de marché sociale) et un «mauvais» capitalisme (la jungle, l'économie de marché de type «casino[35]»). Il s'établit plutôt entre un capitalisme national faiblissant et un capitalisme mondial grandissant.

Cette mutation traduit un changement historique: le monde évolue lentement d'une ère de la «richesse des nations» vers une «ère de la richesse du monde». S'il vivait aujourd'hui, Adam Smith aurait été le premier à le constater.

La circulation des capitaux: l'enzyme principale du capitalisme mondial

La libéralisation des mouvements de capitaux, en particulier depuis 1971, lorsque Richard Nixon a déclaré inconvertible le dollar US, a constitué l'un des facteurs les plus importants dans l'accélération de cette tendance vers l'ère de la richesse du monde.

Les flux de capitaux sont de trois sortes:

- les flux monétaires et financiers, reliés au commerce des biens et des services (par exemple, les opérations relatives à l'importation et à l'exportation, les dépenses du tourisme);
- les investissements directs de l'étranger qui s'accompagnent de transferts non seulement de capitaux financiers mais aussi de capital physique, humain et technologique;
- les placements dans des portefeuilles de titres et divers types d'opérations financières (dont les opérations de nature spéculative).

---

[35] La thèse en faveur de la société postcapitaliste vers laquelle nous semblerions nous diriger a été élaborée par DRUCKER, P. F., *Au-delà du capitalisme: la métamorphose de cette fin de siècle,* Dunod, Paris, 1993. L'opposition entre le «bon» et le «mauvais» capitalisme est défendue par ALBERT, Michel, dans *Capitalisme contre capitalisme,* Le Seuil, Paris, 1991.

On ne le dira jamais assez: la mondialisation de la circulation des capitaux a constitué le moteur de la mondialisation de l'économie.

Alors que les flux de capitaux à l'échelle mondiale ont fait montre d'une relative atrophie entre la fin de la Seconde Guerre mondiale et la fin des années 1960, ce qui coïncidait en grande partie avec la période de reconstruction «nationale», les années 1970 ont été témoins d'une accélération et d'une intensification rapides de la mondialisation des marchés financiers[36].

De l'avis de Michel Aglietta et de ses collègues, la mondialisation financière qui a eu lieu au cours des années 1970 s'est caractérisée par le transfert des surplus de l'OPEP vers les pays en voie de développement, par l'intermédiaire des banques des pays de l'hémisphère Nord. Pendant cette période, ces pays ont enregistré des profits (ils se sont donc enrichis) en se servant des pétrodollars déversés par certains pays du Sud — les pays producteurs de pétrole — pour financer le développement du reste de l'hémisphère Sud. En fait, les pays pauvres du Sud sont alors entrés dans le cercle vicieux de l'endettement et les riches pays producteurs de pétrole, toujours du Sud, ont fourni les fonds nécessaires à l'essor financier et économique du Nord[37]. C'est ce qu'on pourrait appeler un détournement de fonds à l'échelle mondiale.

Un autre changement notoire a marqué les années 1980. La circulation des capitaux, qui s'effectuait jusqu'alors du Sud vers le Nord puis du Sud au Sud, a été remplacée par un mouvement de capitaux Nord-Nord, en particulier au sein de la Triade, comme l'illustrent les graphiques 3 et 4.

---

[36] Les années 1980 sont donc devenues la période dite du «capitalisme de casino», selon Susan STRANGE, dans *Casino Capitalism,* Blackwell, Oxford, 1986, ou «l'ère des prédateurs» comme la décrit Charles-Albert MICHALET dans *Global Competitiveness and its Implications for Firms,* OCDE, Paris, OSTI/PRI 89.7, 1989.

[37] Lire en particulier AGLIETTA, Michel, BRENDER, Anton, et COUDERT, Virginie, *Globalisation financière: l'aventure obligée,* CEPII, Economica, Paris, 1990.

Graphique 3 — Circulation des capitaux dans le monde selon leur origine[1]

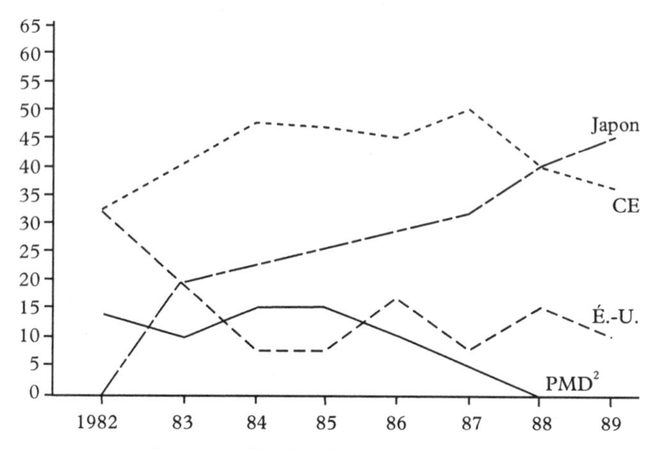

Source : International Monetary Fund, *Balance of Payment, Statistics Yearbook*, Washington D.C., 1991.

1. À l'exclusion des réserves et opérations des organismes internationaux.
2. PMD : Pays moins développés.

Graphique 4 — Circulation des capitaux dans le monde selon leur destination[1]

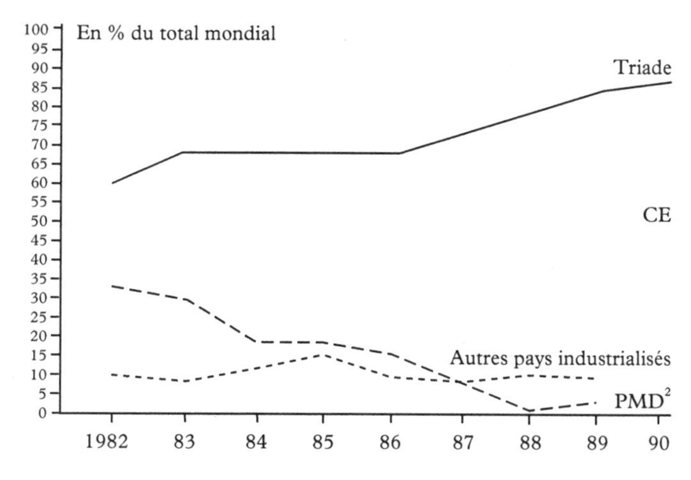

Source : International Monetary Fund, *Balance of Payment, Statistics Yearbook*, Washington D.C., 1991.

1. À l'exclusion des réserves et opérations des organismes internationaux.
2. PMD : Pays moins développés.

Plus de 80 % des capitaux mondiaux proviennent de ces trois régions et sont dirigés vers elles. La «triadisation» des flux de capitaux au cours des années 1980 a été marquée par le rôle de premier plan que le Japon a rapidement joué par rapport à l'Europe et aux États-Unis. La raison en est assez simple. Alors que les années 1970 ont été centrées sur le recyclage des surplus des pays membres de l'OPEP, la décennie suivante a été axée sur le recyclage des excédents japonais. Il va de soi que ce processus s'est déroulé presque exclusivement dans les pays de l'OCDE et que le Japon avait tout ce qu'il fallait pour en être le chef de file. Ainsi, entre 1986 et 1989, 26,93 % en moyenne du total des capitaux qui ont circulé dans le monde provenaient de ce pays, ce qui est bien au-dessus des États-Unis (16,41 %); en outre, de 1984 à 1988, 64 % des prêts commerciaux du Japon, 70 % de ses investissements directs à l'étranger et 86 % de ses placements dans des portefeuilles (95,5 % en 1988) ont été effectués dans les deux autres régions de la Triade[38].

Il convient ici de souligner un aspect d'une extrême importance: le largage des pays moins développés. La création d'un «monde global» façonné par les flux de capitaux a été rapidement suivie par la mise au ban de la plupart des pays moins développés. Les PMD dans leur ensemble attiraient en 1980 à peu près 55 % des capitaux mondiaux et étaient eux-mêmes la source de 14 % des capitaux circulant dans le monde. Si l'on exclut les pays de ce groupe devenus de grands centres financiers étrangers (Panama, Hong-kong, les îles Caïmans et les Caraïbes hollandaises) ainsi que les capitaux émanant d'organismes internationaux et de dons publics, la totalité des investissements et des prêts, à la fois publics et privés, dirigés vers les pays moins développés et pauvres ne représentait plus que 3 % de l'apport mondial entre 1986 et 1991. L'exclusion graduelle de la vaste majorité des PMD est particulièrement frappante en regard du volume des investissements à caractère industriel et financier et des prêts internationaux consentis par les banques. À partir de 1982, l'importance des prêts accordés aux PMD a chuté de façon spectaculaire.

[38] Toutes les données sont tirées de MULDUR, Ugur, *Les Formes et les indicateurs de la globalisation,* FAST, document de recherche, Commission des communautés européennes, juin 1993, 216 p.

Si, encore une fois, Hong-kong, la Corée du Sud, Taiwan, Singapour, la Thaïlande, la Chine et la Turquie ont pu bénéficier de cette forme d'aide, les PMD les plus au sud n'ont plus été capables d'attirer des capitaux autres que les dons publics et ceux fournis par l'aide multilatérale. Les fonds dirigés vers ces pays sont davantage l'expression de gestes humanitaires que d'une logique économique.

Ce largage soulève une question cruciale. De quelle manière le monde global évoluera-t-il? Y aura-t-il une logique économique pour influer sur le processus de mondialisation, de manière que la «richesse de la planète» soit le résultat de la créativité et de la contribution de tous les pays? Le chapitre 3 traite plus en profondeur de ce problème. Pour l'instant, arrêtons-nous au concept central sur lequel s'appuie le processus actuel de mondialisation, celui du «Made in the World».

«Made in the World»

D'un point de vue économique, le seul qui permette, pour l'instant, une quantification du phénomène, la mondialisation est l'ensemble des processus:

- qui rendent possibles la conception, le développement, la production, la distribution et la consommation de procédés, de produits et de services à l'échelle internationale, à l'aide d'instruments et accessibles mondialement (tels que les brevets, les bases de données, ainsi que les nouvelles technologies et les infrastructures informatiques de communication et de transport);
- qui visent à répondre aux besoins de marchés mondiaux de plus en plus diversifiés et personnalisés, marchés qui sont régis par des normes «quasi universelles»;
- qui relèvent d'organisations (comme les réseaux de sociétés) présentes dans le monde entier, dont le capital appartient de plus en plus à une multitude d'actionnaires de différents pays, dont la culture obéit à une stratégie mondiale. Il est difficile de reconnaître un territoire précis (qu'il soit d'ordre juridique, économique, technologique ou autre) à ces organisations, bien qu'elles aient une patrie d'origine, en raison de l'intensité des interrelations et

de l'intégration qui existent entre les entreprises, les infrastructures et les règles aux diverses étapes de la conception, de la production, de la distribution et de la consommation de biens et de services.

Des cas très simples peuvent être fournis pour illustrer ce qui précède.

Les cartes de crédit sont un exemple typique de service mondial «inventé» à l'intention d'un marché mondial spécialisé, à forte valeur ajoutée, reposant sur l'intégration de plusieurs familles technologiques (traitement de données, matériel informatique, nouveaux matériaux, robotisation, télécommunications, etc.), gérées par des organisations mondialisées dont l'expertise à l'échelle internationale ne cesse de croître.

L'automobile est un autre bon exemple de produit mondial. Elle n'est plus «fabriquée aux États-Unis», «fabriquée en France» ou «fabriquée au Japon», mais de plus en plus «fabriquée dans le monde». Cette observation ne vaut pas seulement pour la production, mais pour l'ensemble d'un système qui permet de fabriquer tous les ans plus de 30 millions de voitures. La mondialisation de l'industrie automobile en est à sa phase initiale. Les processus d'internationalisation et de multinationalisation sont encore en voie d'expansion. En ce qui a trait à l'internationalisation, l'ouverture des pays à l'importation pendant les années 1980 a été fortement ralentie par l'atmosphère de réglementation nationale qui régnait alors. Bien des gouvernements ont cherché des réponses essentiellement politiques à la «menace» de l'exportation japonaise, ce qui a eu une incidence négative sur les ratios d'importation des voitures japonaises et a débouché sur des quotas fort différents et très artificiels. La France et l'Italie importent principalement des autres pays européens, et réimportent même les Renault fabriquées en Espagne ou en Belgique. L'industrie automobile japonaise est lourdement tributaire du marché mondial pour l'exportation, mais fort peu pour ce qui est de l'importation. Si l'on se fie à ces données, il est facile de comprendre la stratégie politique du gouvernement japonais en matière d'échanges commerciaux: encourager un régime libéral d'échanges internationaux, pour autant que ce régime n'aboutisse pas à une hausse marquée des importations.

Pour ce qui est de la multinationalisation, les deux fabricants les plus importants, Ford et GM, ne sont plus ce qu'il étaient : 42 % et 58 % seulement de leur production respective était encore nationale en 1988. À l'exception de Volvo, tous les grands constructeurs de voitures européens concentraient plus de 60 % de leur production sur le marché intérieur et plus de 80 % en Europe. Les Japonais aussi produisaient la plupart de leurs voitures au Japon et dans les autres pays asiatiques, sauf Honda. Toutefois, Toyota et Nissan ont fait, ces dernières années, des progrès considérables.

Néanmoins, la mondialisation de l'industrie automobile et de ses acteurs s'intensifie sur les plans organisationnel et stratégique.

L'explosion des alliances stratégiques interentreprises est, à cet égard, très significative (voir le tableau 4). Au cours des 15 dernières années, celles-ci ont profondément modifié les structures internes du secteur automobile et plus encore celles des autres secteurs de l'économie.

Les principales raisons qui poussent les entreprises à la collaboration sont les suivantes :

- réduire et partager les coûts afférents à la R-D ;
- accéder à une technologie complémentaire ;
- obtenir le savoir et la technologie implicite du partenaire ;
- raccourcir le cycle de vie des produits ;
- partager les coûts dans la conception des produits ;
- accéder aux marchés étrangers ;
- accéder à un personnel hautement qualifié et à des ressources financières[39].

---

[39] HAGEDOORN, John, SCHAKENRAAD, Jan, *The Role of Interfirm Cooperation Agreements in the Globalisation of Economy and Technology*, FAST, Commission des communautés européennes, Bruxelles, novembre 1991.

Tableau 4 — Principales alliances stratégiques entre les acteurs clés de l'industrie automobile

Promoteur d'alliances	R-D conjointe	Consortium de production	Coentreprise	Investissements directs (participation minoritaire)	Entente OEM*	Distribution	Fusion et acquisition
BMW	Mercedes, VW, Siemens, PSA, Renault, Fiat, Porsche, Matra						
VW	Fiat, Mercedes, BMW, Siemens, Renault, PSA, Porsche, Matra	Porsche, Ford Nissan, Renault	Ford		Volvo, Romer	Scania	Seat, Skoda
Mercedes	Fiat, PSA, Renault, BMW, Porsche, Maltra, Siemens, VW		Mitsubishi	Bajaj Tempo (Inde)	Steyr-D-Puch Porsche	Mitsubishi	
Fiat	Mercedes, PSA, Renault, BMW, VW, Porsche, Matra, Volvo, Rover	Lancia	Maserati	VDT	Steyr-D-Puch	Chrysler, Alfa, Romeo, Ferrari	
Rover	Fiat, Renault, Volvo, Fiat, VW, Jaguar, Rolls Royce	Honda	Honda	Maserati	Hindustan, Honda, Renault, VW, PSA	Honda, PSA, Suzuki	
PSA	Fiat, Renault, Volvo, Fiat, VW, Jaguar, Rolls Royce	Renault	Renault	Renault	Ford, Rover	Mazda, Rover, Suzuki	
Renault	Mercedes, BMW, VW, PSA, Fiat, Porsche, Matra, Renault, Volvo, Rover, Jaguar, Rolls Royce	VW, PSA, Volvo, Toyota, Matra	PSA	Volvo	Chrysler, Volvo, Rover, Steyr-D-Puch	Chrysler, Volvo	
Volvo	PSA	Mitsubishi		Renault	Mitsubishi, VW, Ssanyong, Renault	Fuji, Heavy, Renault	
Chrysler	Mitsubishi, Lotus, Ford, GM	GM, Hyundai, Mitsubishi	Mitsubishi, Fiat, Steyr-D-Puch	Mitsubishi, Maserati, Mahimdra	Mitsubishi, VW, Ssanyong, Maserati	Mitsubishi, Renault	Lamborghini
GM	Ford, Chrysler	Chrysler, Toyota, San Fu, Pinifarina	Suzuki, Toyota	Isuzu, Suzuki, Daewoo	Isuzu, Hindustan, Suzuki, Steyr-D-Puch	Isuzu, Suzuki	Lotus, Saab
Ford	GM, Chrysler	VW, Nissan, Mazda	VW	Mazda, Kia	PSA	Mazda, Kia	AC Cars, Jaguar, AM, Lagonda
Honda		Rover		Rover, Steyr-Daimler-Puch	Rover, Steyr-D-Puch		
Mazda	Steyr-D-Puch	Ford		Kia, Jatco, Ford	Suzuki, Ford, Kia	Kia, PSA, Fiat	
Mitsubishi	Chrysler	Chrysler, Volvo	Chrysler, Mercedes	Hyundai, Chrysler, Volvo Car	Volvo, Chrysler	Chrysler, Mercedes, Porsche	
Nissan	Fuji Heavy	VW, Ford		Jatcon, Mashindra	Fuji		
		GM, Hino, Renault	GM	Daihatsu			

Source: W. Ruigrok, R. van Tulder, «The Internationalisation of the Economy, Global Strategies and Strategic Technology Alliances», *Nouvelles de la science et des technologies,* 9, 2, Bruxelles, 1991.

* OEM: Office Equipment Manufacturing

Un nombre croissant de produits sont ainsi conçus conjointement par plusieurs sociétés dont les ingénieurs travaillent ensemble sur une même idée pendant plusieurs années. De la même manière, les étapes ou les éléments faisant partie du processus de production, dont le nombre de composantes ne cesse d'augmenter, permettent à des entreprises de pays différents de collaborer. Les alliances stratégiques conclues entre diverses sociétés sont représentatives de ce qu'on dit à ce propos : ces dernières mettent en commun leurs stratégies, même si elles entretiennent souvent le désir secret d'absorber éventuellement leur associé. C'est leur façon à elles de contribuer au processus du «fabriqué dans le monde».

Ce phénomène est surtout apparu dans les années 1980[40]. Même si ce sont les industries axées sur la technologie avancée (informatique, télécommunications) qui ont connu l'évolution la plus rapide et la plus intense à cet égard, tous les secteurs ont aussi été touchés (voir le tableau 5).

Les alliances stratégiques sont destinées à se multiplier. Elles n'auront pas toutes un dénouement heureux. Il y aura des déceptions et des échecs. On en restera souvent au stade des vœux pieux, comme l'ont montré les fiançailles rompues de Bell Atlantic et MCI ou de Renault et Volvo. D'ailleurs, il arrive souvent que ces alliances ne soient pas motivées par un désir de coopération mais répondent à des calculs à très court terme. Ce qu'on cherche souvent avant tout, c'est un accès rapide à des gains financiers[41].

On peut facilement penser que dans 10 ou 15 ans, on aura du mal à savoir qui fait quoi et quelle partie du réseau se rapporte à telle division ou tel centre de production d'une entreprise donnée. Il ne s'agit pas là d'un énoncé futuriste, car un nouveau phénomène a déjà pris forme, celui de la quasi-société. Les «quasi-sociétés» sont des entreprises éphémères établies afin de financer des recherches très

---

[40] On trouvera une étude très poussée sur les premières alliances stratégiques, dans CHESNAIS, François, *Technical Cooperation Agreement between Firms.* Some Initial Data and Analysis, OCDE, Paris, 1986, et dans PETRELLA, Riccardo, *Coopérations technologiques européennes,* Dossier FAST, Bruxelles, 1987.

[41] Voir BARNET, RICHARD J. et CAVANAGH, J., *Global Dreams: Imperial Corporations and the New World Order,* New York, Simon and Schuster, 1994.

coûteuses ou la conception d'un produit, après quoi elles sont dissoutes[42].

L'idée du «Made in the World» découle d'une composante encore plus frappante du processus de mondialisation: l'investissement direct étranger (IDE). Par exemple, les exportations mondiales ont augmenté, entre 1983 et 1989, de 9,4% par année alors que la croissance annuelle moyenne du produit intérieur brut mondial se situait à 7,8 %. Parallèlement, les investissements directs étrangers croissaient chaque année de 28,9%! Selon un rapport émis par l'ancien Centre des entreprises transnationales et portant sur l'IDE, «les opérations internationales sont de plus en plus dominées par les entreprises transnationales [...]. Cet état de choses a entre autres conséquences que les formes prises à l'échelle mondiale par les échanges commerciaux, les transferts de technologie et la circulation de capitaux privés pourraient bien converger sur les modèles adoptés pour l'investissement direct étranger, ce qui ferait de ce dernier une force dominante dans l'élaboration de l'économie mondiale[43]».

L'IDE n'est pas toujours un instrument de la mondialisation. Quand une firme européenne achète une entreprise américaine, il en résulte une concentration accrue des activités de production en Europe et aux États-Unis, par l'intermédiaire de la société européenne qui en est le propriétaire ou qui en exerce le contrôle. Par exemple, si les prévisions actuelles se confirment, le fait que le nombre de joueurs internationaux dans le secteur des télécommunications passera, grâce aux fusions et aux acquisitions, de 14 ou 15 en 1991-1992 à 6 ou 7 en l'an 2010 ne veut pas dire que ce secteur sera alors davantage mondialisé, mais plutôt que la concentration de ses structures financières et industrielles sera de plus en plus forte à l'échelle de la planète. Il ne faut pas confondre mondialisation et concentration.

---

[42] Voir DAVIDOW, William H., et MALONE, Michael, «The Virtual Corporation», *Business Week*, 8 février 1993. Cette entreprise n'est en rien semblable à la «virtual corporation» (entreprise virtuelle) décrite par ETTIGHOFFER, Denis, dans *L'Entreprise virtuelle ou les nouveaux modes de travail*, Éditions Odile Jacob, Paris, 1992, et basée sur de nouvelles formes d'organisation de la production que la nouvelle technologie informatique et des communications a rendues possibles.

[43] Lire l'aperçu général sur l'investissement direct dans les années 1980 préparé par le United Nations Centre on Transnational Corporations (UNCTC), *World Investment Report 1991. The Triad in Foreign Direct Investment*, United Nations, New York, 1991, p. 82.

Tableau 5 — Croissance des nouvelles alliances stratégiques, de 1980 à 1989

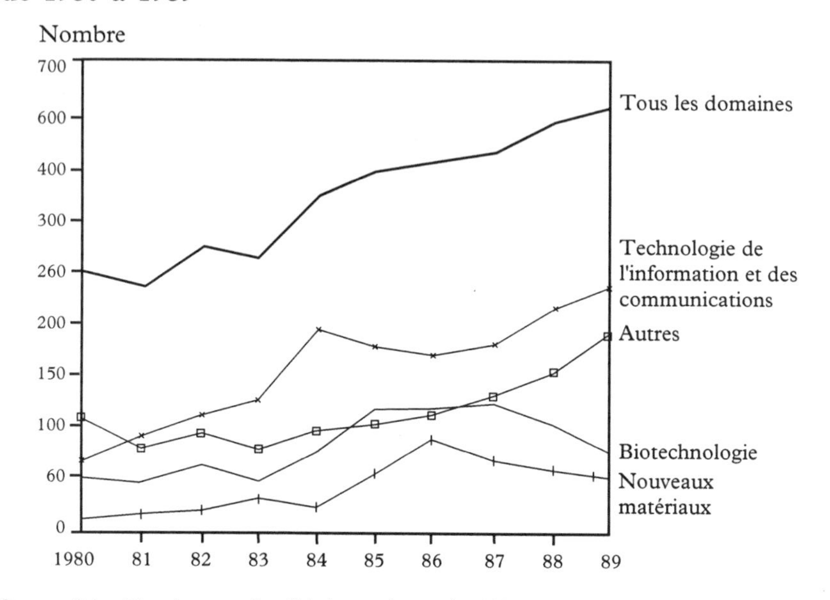

Source : John Hagedoorn et Jan Schakenraad, *op. cit.*, 1991.

Les trois moteurs de la mondialisation : la libéralisation, la privatisation et la déréglementation

La *libéralisation* des mouvements de capitaux a constitué l'un des facteurs fondamentaux de l'accélération et de l'intensification de la mondialisation économique.

Tout le système d'échanges commerciaux érigé après la Seconde Guerre mondiale a comme base la philosophie et les principes de la libéralisation du marché national, grâce aux mécanismes de négociations et d'ententes multilatérales mis en place par l'Accord général sur les tarifs douaniers et le commerce (GATT). À partir de 1947, chacune des séries de négociations commerciales menées dans le cadre de cet accord (Dillon, Kennedy, Tokyo et Uruguay) a cherché à élargir et à généraliser le processus de libéralisation des marchés nationaux dans tous les secteurs. La dernière série, celle de l'Uruguay, a essentiellement porté sur la libéralisation de l'agriculture, des services et de l'audiovisuel.

Le processus de libéralisation ne va pas sans difficultés. L'économie la plus forte prêche habituellement en faveur d'une libéralisation du commerce et des mouvements de capitaux, de personnes et de services qui soit la plus étendue et la plus rapide possible. La libéralisation a son «ennemi»: le protectionnisme. Ce dernier passe pour être, aux yeux des théoriciens du commerce libéral, la source de la plupart des maux de l'économie.

Au cours des 20 dernières années, la libéralisation mondiale a acquis un nouvel attrait et une apparente légitimité par suite de l'amélioration des technologies du transport et de l'explosion des nouvelles technologies de l'information et des communications. L'argument avancé est celui-ci: dans le «village planétaire des communications», les barrières nationales maintiennent ou créent des coûts et des prix «artificiellement» élevés, dans l'intérêt de producteurs non compétitifs et au détriment des consommateurs locaux. En outre, poursuit-on, il n'est plus possible de conserver des barrières tarifaires et autres pour un nombre croissant de biens et de services axés sur la haute technologie et sur des connaissances très poussées. L'information génératrice de valeur ajoutée ne peut être emprisonnée à l'intérieur de frontières nationales rigides.

Le débat n'est pas clos. Les auteurs des traités du GATT ont reconnu qu'on peut admettre temporairement des limites à la libéralisation des flux financiers, limites négociées et acceptées. Qui plus est, tous les gouvernements et tous les groupes d'opinion ne sont pas encore convaincus qu'il faille toujours sacrifier l'intérêt du pays au «libre» marché concurrentiel. Il n'en demeure pas moins que la libéralisation des marchés nationaux est l'approche qui prévaut de nos jours.

Un autre principe, relié au précédent, constitue le deuxième moteur de la mondialisation dans sa forme actuelle, à savoir la *privatisation.* Les premiers efforts de privatisation, dans les années 1970, ont souvent été couronnés de succès. On a alors privatisé l'un après l'autre, en totalité ou en partie, de nombreux secteurs de l'activité économique, en présumant que les forces privées présentes sur le marché permettront de répartir au mieux les ressources disponibles, dans le plus grand intérêt à la fois des producteurs et des consommateurs.

On a aussi présumé que le financement et les investissements privés étaient le meilleur moyen de mobiliser les aptitudes et l'ingéniosité humaines en vue de répondre aux exigences du marché. Celles-ci ont été et sont encore perçues comme étant l'expression «démocratique» la plus apte à satisfaire les besoins sociaux, en plus de constituer le meilleur mécanisme de fixation des priorités. Vingt ans plus tard, cette belle assurance n'existe plus.

Pour fonctionner efficacement, la privatisation et la libéralisation doivent être assorties d'un autre élément, la *déréglementation*. Cette dernière est devenue le troisième moteur de la phase actuelle de mondialisation. C'est ainsi qu'on a été amené à suggérer que l'État ne devait avoir qu'un rôle direct minime dans les activités économiques. En conséquence, les monopoles publics et l'intervention économique de l'État, dont ceux de la régulation et de l'établissement de normes, doivent être réduits au minimum. Seules les forces du marché peuvent réglementer efficacement tout l'éventail des fonctions que remplit l'économie et ce, à tous les paliers, local, régional, national et mondial.

Dans bien des cas, la déréglementation n'a représenté qu'une phase transitoire menant à une privatisation et à une libéralisation pleines et entières. Dans d'autres cas, les mesures de déréglementation fonctionnent main dans la main avec des mesures de privatisation et de libéralisation que l'on fait habilement passer pour autant de tentatives de «dégraisser» l'État. Aucun secteur ni aucun gouvernement national n'ont pu résister à la pression exercée par la privatisation, la déréglementation et la libéralisation combinées. Partout, l'impératif de la compétitivité a été l'argument téléologique sur lequel on s'est appuyé pour justifier et légitimer une telle pression.

Quels que soient le secteur visé (en expansion ou en déclin, de pointe ou non), la taille, la force ou le niveau de développement du pays, l'argument a toujours été le même: la privatisation est urgente si l'on veut accroître la compétitivité d'un secteur industriel, d'une société ou d'un pays dans une économie qui se mondialise; il faut également libéraliser tous les marchés afin que l'industrie locale et les entreprises œuvrant à l'échelle de la planète deviennent plus compétitives sur les marchés mondiaux; et, enfin, il importe de déréglementer les secteurs industriels et les marchés pour accélérer le processus de privatisation et, partant, augmenter la compétitivité des entreprises locales ainsi que celle de l'économie nationale (ou régionale). Comme ces pressions se sont exercées dans la plupart des domaines et, phénomène nouveau, dans presque tous les pays, tout le monde essaie aujourd'hui de se concurrencer et d'être compétitif partout, et ce, aux quatre coins du globe. Dans ces conditions, l'avènement quasi universel du capitalisme compétitif en tant que système normatif ne doit pas nous surprendre. Le réveil risque cependant d'être brutal.

Implications et conséquences

Il n'y a pas longtemps que l'on a commencé à analyser et à évaluer l'incidence de l'instauration d'un monde global sur les structures économiques, le tissu social et les gouvernements. C'est en grande partie grâce à la pertinence accrue des théories sur la mondialisation et à des données plus fiables que nous pouvons désormais effectuer cette évaluation avec une certaine rigueur scientifique.

Le démantèlement de l'État-providence

L'État-providence est un système reposant sur un contrat social écrit et tacite qui garantit et favorise la sécurité sociale individuelle et collective, la justice sociale ainsi que des formes efficaces de solidarité entre les hommes et les générations. L'État-providence a été institué au siècle dernier, au moment où Bismarck introduisait en Allemagne les premières mesures de sécurité sociale. Le système s'est par la suite répandu dans d'autres pays, notamment au Royaume-Uni, grâce aux lois sociales édictées par lord Beveridge (après la Première Guerre mondiale), aux États-Unis, par l'intermédiaire du «New Deal» de Roosevelt et dans les pays scandinaves.

Au cœur de l'État-providence, il y a le contrat social. Ce contrat social a constitué le fondement de l'essor économique, politique et culturel du bien-être de la société industrielle moderne et de l'État-nation. Il a permis au capitalisme national de croître, moyennant des coûts sociaux relativement faibles, et d'être accepté.

La forme et la teneur du contrat social ont varié selon les pays, à l'intérieur d'une même région (Europe de l'Ouest) et entre des régions différentes (Europe, Amérique du Nord et Japon), mais partout les quatre éléments fondamentaux suivants ont été reconnus[44]:

- le droit au travail;
- la lutte contre la pauvreté;
- la protection contre les risques individuels et sociaux;
- la promotion de l'égalité des chances pour tous (encadré nº 1).

Encadré 1

Le «contrat social»

Droit au travail
. plein emploi
. emploi durant toute la vie active
. amélioration des conditions de travail (salaires, congés payés, heures de travail hebdomadaires, participation des travailleurs)
. conventions collectives et technologiques

Lutte contre la pauvreté
. salaire minimum garanti
. autres formes d'aide sociale afin de lutter contre la pauvreté et le rejet social

Protection contre les risques individuels et sociaux
. mesures de sécurité sociale ou assurances visant à protéger le travailleur et les membres de sa famille en cas de maladie, d'accident, de chômage, de décès, etc.

Promotion de l'égalité des chances pour tous
. dépenses publiques dans les domaines de l'éducation, de la formation professionnelle, du transport, de la culture et des loisirs
. mesures de discrimination positive dans des domaines moins favorisés et en faveur des groupes sociaux et minorités à risques élevés

En même temps que se manifestaient (à la fin des années 1960 et au début des années 1970) les premiers signes de la présente crise économique, le contrat social et l'État-providence faisaient l'objet de critiques de plus en plus vives. On reprochait à l'État-providence d'être la source d'une bureaucratisation coûteuse et inefficace de la vie économique en même temps qu'un frein à la libre entreprise. On l'accusait également d'avoir des conséquences perverses, notamment de créer de nouvelles inégalités sociales et des formes d'exclusion sociale imprévisibles et intraitables.

[44] Voir DELCOURT, Jacques, *Les Fondements des transferts sociaux dans une économie globale.* Rapport présenté lors de la conférence euro-américaine sur la «Globalisation of Industrial Economy. A Challenge to the Social Contract», 28-30 mai 1990, FAST, Commission des communautés européennes, Bruxelles, 1990.

Le démantèlement de l'État-providence a été très prononcé au Royaume-Uni et aux États-Unis, et il a profondément bouleversé le paysage social des pays de l'Europe de l'Ouest. Jusqu'à une date récente, son ampleur a été contenue en Allemagne, aux Pays-Bas et en Scandinavie. Toutefois, les pressions exercées pour que le processus s'intensifie et s'élargisse sont devenues si fortes[45] que le peu de résistance aux changements qui subsistait s'est évanoui même en Allemagne et aux Pays-Bas. Le nouveau programme-cadre que le gouvernement allemand a adopté en août 1993 pour les dix prochaines années, en vue d'« assurer l'avenir de la compétitivité en Allemagne[46] », ne peut être plus clair quant à ses intentions, à savoir le démantèlement pur et simple de l'État-providence allemand. Ce programme privilégie les mesures déjà prises ailleurs dans la foulée de la privatisation, de la déréglementation et de la libéralisation. Citons, entre autres, la réduction des dépenses publiques, en particulier celles qui sont liées à la sécurité sociale ; les incitatifs d'ordre financier et fiscal et autres stimulants relatifs à la déréglementation afin d'encourager l'investissement chez les particuliers ; la diminution de l'impôt sur le revenu et de l'impôt sur les bénéfices des entreprises ; la stabilisation et la baisse des salaires ; la privatisation encore plus poussée du secteur des télécommunications ; l'amoindrissement du rôle des syndicats ; l'« assouplissement » des règlements environnementaux qui pourraient affecter la compétitivité des entreprises allemandes. Des mesures tout aussi draconiennes ont été votées par le gouvernement néerlandais à la fin de novembre 1993[47].

Au Japon et en Asie du Sud-Est, les modifications apportées à l'État-providence ont pris la forme d'un ralentissement du processus d'édification du contrat social, de type occidental, qui s'était amorcé après la Seconde Guerre mondiale. L'Amérique latine n'a pas échappé

---

[45] Au sujet de la déstabilisation de l'État-providence, lire JALLADE, Pierre, *The Crisis of Distribution in European Welfare States,* Trentham Books, 1989. Pour ce qui est de l'évolution future possible, lire CHARPY, Charles, et de JOUVENEL, Hugues, *Protection sociale : trois scénarios contrastés à l'horizon 2000,* Éditions Futuribles, Paris, 1986.

[46] *Bericht des Bundesregierung zur Zukunftsicherung Standortes Deutschland,* Bonn, 1er septembre 1993.

[47] « Dutch Efforts to Mend Social Security Net Take Lead in Europe », *The Wall Street Journal Europe,* 1er décembre 1993.

à ce vent de changements. L'État-providence y est apparu timidement après la Seconde Guerre mondiale, mais sa portée a été sérieusement réduite et son existence a été menacée à partir des années 1970, à la suite notamment des «politiques de rajustement structurel» et des «mesures économiques préalables» imposées par le Fonds monétaire international et la Banque mondiale aux pays latino-américains, afin qu'ils puissent bénéficier des prêts et de l'aide de ces deux organismes[48].

Voici quelles sont les répercussions de ce démantèlement pour nombre de pays:

- les politiques de plein emploi ont été abandonnées; le droit aux prestations de chômage a été réduit;
- les ressources financières affectées à la lutte contre la pauvreté ont été comprimées. Dans les pays riches et industrialisés, on compte de plus en plus sur la bonne volonté des organismes bénévoles pour venir à bout de la pauvreté qui ne cesse d'augmenter;
- le filet de protection sociale s'est amenuisé et va toujours en diminuant;
- les ressources consacrées à la promotion des chances ont fondu; c'est maintenant l'excellence, le sens de l'adaptation et la compétence qui sont prônés.

Comment tout cela a-t-il pu se produire? Pour quelle raison les sociétés industrialisées dites évoluées ont-elles toutes, dans une plus ou moins large mesure, tourné la page de l'histoire du contrat social et de l'État-providence modernes? Cet État-providence les avait pourtant bien servi.

Si l'on ne tient pas compte des motifs propres à chaque pays et qui ont influé sur le rythme et l'intensité avec lesquels la déstabilisation et le démantèlement du contrat social se sont effectués, on peut regrouper en cinq grandes catégories les causes principales de ce renversement:

- la crise économique qui a favorisé la montée de la logique de l'intérêt personnel comme moyen de survie et a exacerbé le côté agressif de la compétitivité économique;

[48] ALBORNOZ, Mario, *et alii*, *America Latina: Ajuste con Equidad?* Rapport pour le programme FAST, Université de Buenos Aires, juillet 1991.

- la « révolution technologique » qui a transformé le secteur manufacturier, en rendant superflus des millions d'emplois et en redessinant la carte sectorielle et territoriale de l'industrie ;
- la mondialisation accélérée des services financiers, de la production, des marchés, des stratégies et de la structure des entreprises ainsi que des portefeuilles d'actions ;
- les changements intervenus dans la structure sociale (déclin de la classe ouvrière, affaiblissement de la classe moyenne, vieillissement de la population, etc.), qui ont contribué à la réapparition de l'individualisme et des valeurs utilitaristes ;
- les déficits budgétaires et les contraintes d'ordre fiscal, de même que les choix en matière de finances publiques.

Ces facteurs combinés ont fait de la compétitivité le principal objectif économique et politique à atteindre pour chaque pays. Dans l'esprit de la plupart des dirigeants des pays les plus développés, le maintien de l'État-providence a été assimilé à la perte de la compétitivité économique. L'opinion publique est désormais convaincue que l'accroissement de la compétitivité de chacune des nations est pratiquement incompatible avec le maintien de l'État-providence. Bon nombre de chefs d'entreprise l'encouragent à penser en ce sens. Ainsi, selon H. Kriwet, le président de Thyssen AG, la plus grande aciérie allemande, le filet social allemand est devenu un nœud coulant qui étrangle son industrie. La vigueur économique du pays s'effrite sous le poids des mesures sociales[49], écrit-il. À son avis, compétitivité économique et justice sociale ne peuvent plus faire bon ménage.

À l'origine de cette mise en accusation de l'État-providence, on trouve la conviction que les coûts de main-d'œuvre sont devenus si élevés qu'ils empêchent les entreprises de créer des emplois et les gouvernements de combattre le chômage. Il faut donc les réduire.

Pourtant, une étude récente de l'OCDE, organisation que l'on ne peut soupçonner d'entretenir un préjugé favorable à l'égard de l'État-providence, a conclu qu'un « abaissement des conditions de travail n'avait aucun impact significatif sur la compétitivité du pays et sa per-

[49] Rapporté par Audrey Choi dans *The Wall Street Journal Europe*, 17-18 septembre 1993, p. 4.

formance commerciale[50] ». Selon cette étude, l'augmentation de l'emploi n'a rien à voir avec la déréglementation et le relâchement des normes de travail. Il ne faut pas compter sur ces mesures pour accélérer la croissance et améliorer le niveau de vie.

Ainsi, le graphique 5 permet de constater que la Grande-Bretagne, dont les normes de travail sont les plus « flexibles », a une performance inférieure à celle du Danemark, de la Belgique, de la Suède, de la Suisse, de la Norvège et de l'Allemagne au chapitre des revenus.

Graphique 5 — L'effet de l'abaissement des normes de travail sur le PNB

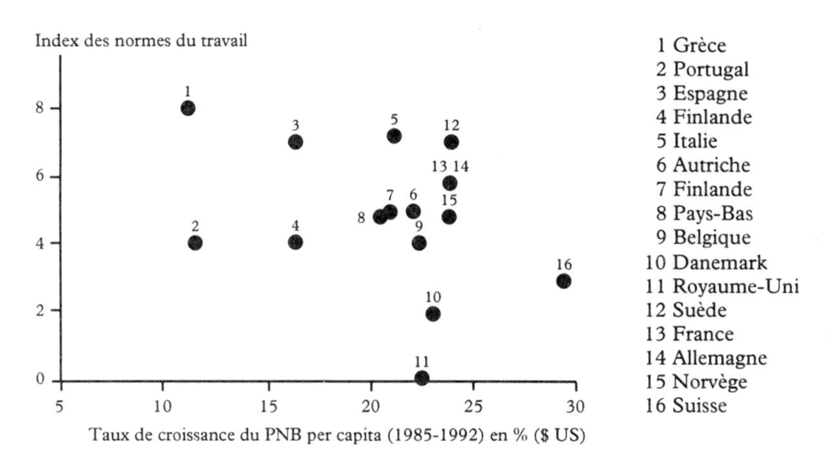

Source : OCDE, *Employment Outlook 1994,* Paris, 1994.

La crise du chômage: principal enjeu social des vingt prochaines années

Les chiffres ci-après parlent d'eux-mêmes :

En 1973:

- le nombre de personnes sans emploi dans les pays de l'OCDE s'élevait à 11,3 millions ;
- de ce nombre, environ le cinquième était en chômage prolongé (soit depuis un an et plus), même s'il existait des écarts marqués entre les pays.

---

50 OCDE, *Employment Outlook 1994,* Paris, 1994.

En 1991:

- plus de 30 millions de personnes, soit 6,9 % de la population active, étaient sans emploi dans les pays de l'OCDE;
- on estime que près de la moitié de ces personnes étaient en chômage prolongé!

Selon le rapport de l'OCDE mentionné plus haut, le chômage dans les 25 pays de l'organisation devait atteindre le seuil sans précédent des 35 millions à la fin de 1994 (8,3 % de la population active), une augmentation de 10 millions depuis 1990. Les femmes sont particulièrement touchées par ce chômage puisque ce sont d'abord elles qu'on renvoie. Elles sont aussi particulièrement menacées par le démantèlement de l'État-providence[51].

Comme l'illustre le graphique 6, les économies des pays les plus évolués n'ont pas cessé de croître entre 1960 et 1987, mais l'emploi y a encore diminué (en France, au Royaume-Uni et en Allemagne, par exemple), ou encore son taux de croissance a été plus faible que celui du PIB (aux États-Unis et au Japon).

Graphique 6 — Le PIB et la croissance de l'emploi dans les pays industrialisés, de 1960 à 1987

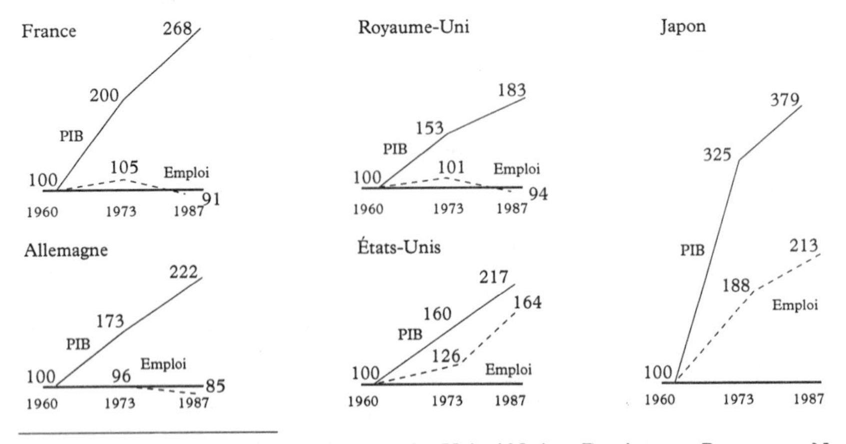

Source: *World Human Development Report,* 1993, United Nations Development Programme, New York, 1993.

[51] Voir Roy, Pauline, et Flanagan, Niamh, *Women and Poverty in the European Community,* Bruxelles, Commission de l'Union européenne, Emploi, Industrialisation et Affaires sociales, 1993.

Dans les pays développés, où l'idéal du plein emploi n'a jamais été réalisé, la situation est encore pire; font toutefois exception les pays du Sud-Est asiatique pour lesquels les statistiques officielles indiquent de faibles taux de chômage, c'est-à-dire moins de 3%.

Les données que nous possédons semblent largement confirmer la tendance actuelle selon laquelle un fossé est en train de se creuser entre la croissance économique et l'emploi. En effet, il ne se crée pas nécessairement ni automatiquement plus d'emplois parce que l'économie poursuit son expansion. Et si la croissance économique n'arrive plus à créer des emplois, on se demande d'où ceux-ci vont surgir.

Pour quelle raison le plein emploi (c'est-à-dire entre 1700 et 2000 heures de travail par année, comme on le définit depuis une dizaine d'années en Europe) a-t-il apparemment cessé d'être un objectif réaliste, que plus personne n'ose déclarer prioritaire? Devrions-nous admettre qu'il n'était qu'un phénomène passager, propre à la période de l'après-Seconde Guerre mondiale?

Quelles sont les implications et les conséquences de l'adhésion quasi universelle à l'idée que l'économie n'est pas en mesure d'assurer à tous du travail à plein temps, pendant toute la durée de la vie active? Cela nous mènera-t-il à un exode industriel massif aussi important que les exodes agricole et rural, ou bien le secteur des services — ou de nouvelles formes d'emplois (nombreux sont ceux qui pensent à l'«économie sociale», l'«économie non officielle») — absorbera-t-il les exclus du marché du travail? La réduction et le partage des heures de travail ainsi que des emplois sont-ils inévitables? La crise du plein emploi que traversent les pays les plus riches et les plus industrialisés du globe est certes le reflet des profonds changements qui s'opèrent quant au rôle joué par la main-d'œuvre directe dans la production et la répartition de la richesse, et relativement à la place qu'occupe le travail dans le développement humain et la vie sociale[52].

Dans une perspective historique, le remplacement de la main-d'œuvre directe par la machine apparaît inexorable. La vague d'automatisation qui déferle sur nous depuis les années 1970, alliée à la nouvelle technologie micro-électronique et aux nouvelles

---

[52] Lire PAHL, Roy, *Divisions of Labour,* Blackwell, Oxford, 1984.

structures de gestion et d'organisation, en particulier celles qui ont été mises en place par les entreprises japonaises, a encore accéléré le processus de rationalisation et de réduction des emplois au sein des secteurs nécessitant jadis de nombreux ouvriers, tels la sidérurgie, la construction navale, les textiles, l'industrie automobile et la micro-électronique. Le système dit de «lean production», ou toyotisme, qui est en train de supplanter dans tous les pays de l'OCDE l'ancien système de production basé sur le fordisme (conçu à l'origine aux États-Unis par suite de l'implantation des principes organisationnels du taylorisme), ne dévie pas de la tendance historique à la substitution de la main-d'œuvre[53].

La création d'emplois dans le secteur des services a pu jusqu'à une date récente compenser les pertes essuyées par le secteur industriel, de la même manière que ce dernier avait accueilli, au cours des premières décennies de notre siècle, les millions de personnes que la transformation de l'agriculture avait laissées sans emploi[54]. Toutefois, l'avènement et l'utilisation de l'automatisation et de l'informatique dans le secteur bancaire, les assurances, le tourisme, l'administration et les services sociaux restreindront le rôle de brise-lames que les services ont joué ces dernières années contre les vagues de chômage de plus en plus fortes[55].

Autrefois, la perte d'un emploi dans un secteur était contrebalancée par la possibilité de trouver du travail dans un autre secteur. Tel n'est

---

[53] Le concept de «lean production», ses caractéristiques, ses implications et ses conséquences sont analysés par WOMACK, J. P., JONES, D. T., et ROOS, D., dans *Le système qui va changer le monde: une analyse des industries automobiles mondiales,* Dunod, Paris, 1992. On trouvera dans LEHNER, Franz, *Anthropocentric Production Systems: The European Response to Advanced Manufacturing and Globalisation,* FAST, Commission des communautés européennes, Bruxelles, 1992, un débat sur un éventuel modèle de production propre à l'Europe, appelé le «système anthropocentrique de production» (SAP) (Anthropocentric Production System ou APS). Lire aussi BRODNER, Peter, *The Shape of Future Technology, The Anthropocentric Alternative,* London, Springer, 1990. The Prospects of APS. *A World Comparison of Production Models,* FAST, Commission des communautés européennes, Bruxelles, 1991, de RAUNER, Fritz et RUTH, Karin, renferme une analyse comparative des différents scénarios de production proposés pour l'industrie de pointe.

[54] Lire RAJAH, Amin, *Services. The Second Industrial Revolution,* Butterworths, Londres, 1987.

[55] Sur le rôle des services dans la mondialisation économique, voir DANIELS, P. W., *Service Industries in the World Economy,* Blackwell, Cambridge, Mass., 1993.

plus le cas aujourd'hui, la haute technologie s'infiltrant dans tous les domaines. Aussi un nombre croissant d'analystes et de gens d'affaires émettent-ils de sérieux doutes quant à la possibilité que le secteur des services devienne un réservoir d'emplois, assurant par le fait même un retour vers le plein emploi. Ils prévoient que les améliorations organisationnelles et le progrès technologique finiront par toucher également les services à forte valeur ajoutée, comme ceux des services aux entreprises. Certains espèrent toujours que les services personnels (fournis à la famille et aux personnes âgées) les soins de santé, les services communautaires et les services sociaux constitueront une source importante de création d'emplois[56].

Dans l'ensemble, les perspectives d'avenir ne sont guère encourageantes si l'on se fie aux prévisions concernant les répercussions qu'auront sur le travail l'«organisation concomitante» (*concurrent engineering*) et la «réorganisation» (*reengineering*). L'organisation concomitante est un système permettant de raccourcir le temps global de production en affectant simultanément plusieurs personnes aux diverses phases du processus. La réorganisation, pour sa part, est une nouvelle façon d'améliorer la productivité en ayant recours à diverses méthodes d'ordre technique et humain de réaménagement des tâches. Elle comprend le contrôle des stocks à toutes les étapes d'exploitation d'une entreprise, à l'aide du matériel informatique perfectionné dont se sont dotées massivement les entreprises au cours des 20 dernières années. Elle fait en outre appel au travail d'équipe, à la délégation de pouvoirs, à la réorganisation des chaînes de montage et des bureaux, de même qu'à l'impartition ou à la sous-traitance. Dans un article sur la réorganisation paru le 19 mars 1993, le *Wall Street Journal Europe* déclarait que «nul n'est en mesure de prédire quelles seront les ramifications politiques et sociales de la "réorganisation", mais d'après certaines estimations, celle-ci pourrait provoquer la disparition de quelque 25 millions d'emplois aux États-Unis, soit entre un et deux millions par an pendant les 15 à 20 prochaines années». L'article citait également

[56] Lire les résultats de la recherche exhaustive qu'ont effectuée BIPE et INSEE en France, pour le compte du ministère du Travail, sur le potentiel de création d'emploi de dix groupes de «services de solidarité», A.A.V.V., «Nouveaux emplois de services. Les 10 services de solidarité», *Futuribles,* Paris, 174, mars 1993, p. 5-26.

à ce sujet les paroles de John C. Skerritt, associé directeur général chez Andersen Consulting: «Nous savons bien expliquer la perte des emplois, mais nous sommes incapables de voir où on en créera.» Même les consultants n'ont guère d'idées précises sur l'origine des emplois de demain. Peut-être la course à la compétitivité qui aboutit à tenter d'éliminer l'emploi de l'autre y est-elle pour quelque chose.

Il n'est pas surprenant dès lors de constater qu'un grand débat refait surface, notamment en Europe de l'Ouest et aux États-Unis, sur le rôle que joue l'innovation technologique dans la croissance de l'emploi et sur les solutions à apporter à la crise qui ébranle la politique du plein emploi. Nombreux sont ceux qui se prononceront en faveur de la réduction généralisée des heures de travail couplée à des mesures de partage des emplois[57].

En ce qui concerne l'innovation technologique, il ne s'agit pas de se demander si on doit la promouvoir et la soutenir et dans quelle mesure, car en soi il n'y a pas de raison de s'y opposer. La véritable controverse que cette question soulève porte sur l'équilibre à réaliser entre l'innovation de processus (en général destructrice d'emplois) et l'innovation de produit (plutôt créatrice d'emplois), et sur les motifs pour lesquels l'innovation technologique pourrait et devrait être encouragée et diffusée. Si son objectif premier est d'accroître la concurrence en diminuant les coûts et en augmentant la productivité de la main-d'œuvre tout en offrant des produits et des services encore plus variés et de meilleure qualité, l'objectif du plein emploi ne pourra alors être réalisé. Par contre, si elle sert à valoriser les compétences et les capacités humaines ou à répondre à des besoins insatisfaits, l'innovation technologique peut contribuer de façon importante au maintien et à la croissance de l'emploi[58].

---

[57] Au sujet des récents débats sur la question, on peut consulter «Faut-il partager l'emploi? Vers une révolution du travail», *Le Monde diplomatique,* Paris, mars 1993, p. 11-17, et le numéro spécial publié par Futuribles, intitulé «Temps de travail. Réduction et aménagement du temps de travail dans les pays industrialisés, tendances et enjeux», n°s 165 et 166, mai-juin 1992, 252 p. Parmi les titres anglais, on consultera en particulier BOSCH, D., DAWKINS, P., et MICHON, F., *Working Time in Fourteen Industrialised Countries - An Overview, Institut für Arbeit und Technik,* Gelsenkirchen, 1992.

[58] Voir FREEMAN, Christophe, et SOETE, Luc, *Macro-Economic and Sectorial Analysis of Future Employment and Training,* Commission des communautés européennes, Bruxelles, octobre 1991.

Pour ce qui est de la réduction des heures de travail et du partage des emplois, le cœur du débat n'est pas de savoir si cette solution créera ou non des emplois, surtout lorsque l'on sait qu'un quart à un cinquième des postes sont déjà à temps partiel ! La majorité des études entreprises sur le sujet en Europe indiquent que la diminution graduelle et diversifiée des heures de travail peut, de concert avec le partage des emplois, déboucher sur la création de nouveaux postes dans cinq à dix ans, mais non abaisser de manière significative le taux de chômage. De plus, les conditions à satisfaire sont tellement nombreuses et importantes que les chances que cette solution soit appliquée sont plutôt minces. D'ailleurs, pour donner des résultats positifs, le partage du travail ne peut être accompli que sur une base volontaire.

La véritable controverse se situe autour de la nature, de l'étendue, de la pertinence et du rapport coûts/avantages des changements structuraux qu'il sera nécessaire d'apporter à court et à long terme. Ceux-ci engageront l'économie tout entière, les politiques sociales ainsi que les comportements individuels et collectifs à l'échelle nationale, régionale et mondiale, quelle que soit la solution adoptée pour vaincre le chômage. La solution de la crise passe par une redéfinition et une reconstruction inévitables des éléments structuraux qui composent le système économique et social actuel. Nous feignons souvent de l'ignorer, mais cela ne change rien au diagnostic.

En effet, il faudra apporter de nombreuses modifications aux politiques en matière de revenu et de fiscalité, au système d'éducation et de formation, à l'organisation du travail, à la gestion des ressources humaines et de l'innovation technologique, aux règles du marché, à la lutte contre les pratiques déloyales donnant lieu au « dumping » social, de même qu'à l'imposant pouvoir financier et industriel que détiennent des entreprises en dehors de toute imputabilité sociale.

Il faudra aussi opérer de profonds réaménagements dans l'établissement des périodes de vie et briser la division rigide entre les phases de formation, de travail et de retraite. Si nous ne le faisons pas rapidement, et pas seulement dans le but de partager les emplois, nous perdrons la maîtrise de nos vies.

Bref, quel rôle les êtres humains et la technologie doivent-ils jouer respectivement dans la production et la redistribution de la richesse? Nos économies et nos sociétés peuvent-elles continuer d'accorder la priorité à l'innovation technologique et à la stratégie de l'automatisation totale, sans donner aux «ressources humaines» d'autre choix que celui de s'adapter? La main-d'œuvre doit-elle demeurer un facteur résiduel par rapport aux capacités technologiques? Par ailleurs, les Français sont-ils prêts à partager leurs heures de travail avec les Roumains et les Sénégalais; les Américains, avec les Chinois de Taiwan et les Hongrois; les Japonais, avec les Costaricains et les Namibiens? Considérant les politiques qui prévalent actuellement, la réponse à cette question ne peut être que négative. Depuis le début des années 1970, l'innovation technologique a été conçue et appliquée essentiellement en vue d'augmenter la compétitivité des entreprises en réduisant leurs coûts, d'accroître la productivité des travailleurs et d'améliorer la qualité des biens et des services. L'impératif de la compétitivité a conduit les économies avancées à mettre les êtres humains au service des exigences des nouvelles technologies et de la performance commerciale.

Paradoxalement, la diminution des heures de travail et le partage des emplois sont souvent considérés comme des outils efficaces pour hausser la compétitivité d'une entreprise et d'un pays. Ainsi, la recherche d'une compétitivité accrue pour l'économie nationale a été l'une des principales raisons qui ont provoqué la réduction systématique des emplois dans tous les pays les plus développés du monde. L'augmentation de la compétitivité comme fin en soi a remplacé en importance l'objectif du plein emploi.

En définitive, tous les enjeux qui viennent d'être mentionnés appellent des solutions nouvelles.

Par ailleurs, nous ne pourrons régler ces problèmes sans auparavant résoudre celui du non-développement, qui affecte des milliards d'individus de par le monde, avec le retour en force de la pauvreté et de l'exclusion sociale.

La voie du développement: l'occidentalisation et la fragmentation

Au cours de la guerre froide, les pays en développement ne

pouvaient emprunter qu'une seule voie, celle qu'encourageait et soutenait le «Nord» (soit les Premier et Deuxième mondes). Celle-ci comportait deux variantes: le capitalisme axé sur le libre marché et le «socialisme» ou économie communiste.

Plusieurs tentatives ont été faites pendant les années 1960 pour échapper à un choix aussi rigide, mais soit qu'elles ont été infructueuses, soit qu'on les a empêchées d'aboutir, la stratégie du non-alignement (la «troisième voie») n'a pas fait long feu. Dès les années 1970, elle a été marginalisée et abandonnée.

De même, la solution de rechange conçue vers le milieu des années 1970 par un petit groupe d'intellectuels et de chefs politiques de pays de l'hémisphère Sud, selon laquelle l'Afrique, l'Asie et l'Amérique latine devaient songer à une séparation radicale d'avec le système prôné par le Nord occidental, n'a pas marché non plus[59]. La faiblesse de plus en plus apparente des régimes communistes de l'Est, pendant les années 1980, a permis au modèle du libre marché capitaliste de s'imposer et ce, sur tous les continents.

Le Fonds monétaire international et la Banque mondiale ont tenu un rôle de premier plan en tant que garants financiers et gardiens de l'orthodoxie et de la stabilité économiques «mondiales», par l'intermédiaire des fameuses «politiques de rajustement structurel» auxquelles les pays en voie de développement ont été obligés de se conformer pour avoir droit aux prêts et aux autres formes d'«aide» financière.

Plus la voie occidentale triomphait, plus le rôle et l'efficacité des solutions locales diminuaient. Au sein même des pays de l'hémisphère Sud, il n'y a eu ni meilleure coopération ni tentative de mieux intégrer les initiatives et les projets des pays pauvres et sous-développés. Au contraire, le principe et la pratique de la compétitivité que présuppose la voie occidentale ont incité chacun de ces pays à travailler d'abord pour son propre mieux-être et à s'accommoder à sa façon des principaux pouvoirs et acteurs économiques du monde occidental. Les pays pauvres et moins développés ont été forcés de livrer bataille entre

---

[59] Cette solution de rechange a été conçue notamment par AMIN, Samir, *Le Développement inégal,* Éditions de Minuit, Paris, 1973; du même auteur, *La Déconnexion. Pour sortir du système mondial,* La Découverte, Paris, 1986.

eux afin d'attirer chacun plus d'investissements directs que les autres de la part de l'Amérique du Nord, de l'Europe de l'Ouest et du Japon. La lutte de la concurrence pour la survie a amplifié les conséquences néfastes de l'échec et exagéré les effets positifs à long terme de la réussite.

Comme l'indique le tableau 6, les pays les plus développés ont souvent mis à profit, dans ce contexte, les avantages tirés des relations économiques inégales qu'ils entretenaient avec les pays «périphériques» les plus proches, pour éponger partiellement leur déficit extérieur avec d'autres parties du globe.

Tableau 6 — Balances commerciales bilatérales de l'Union européenne en 1992 (en milliards d'écus)

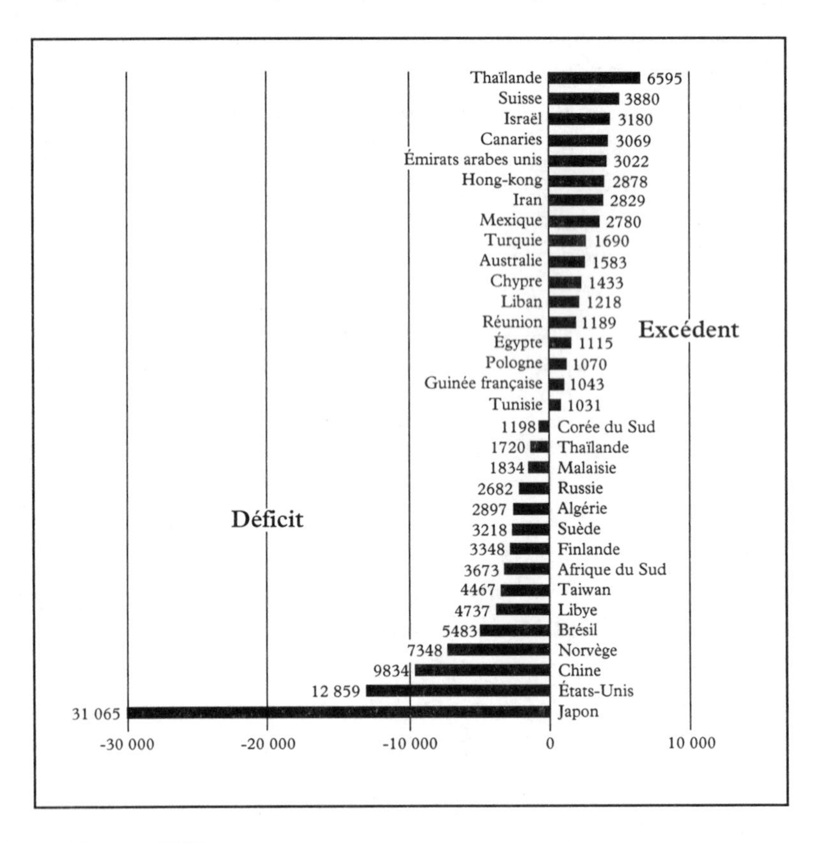

Source: Eurostat, 1993.

Le tableau 6 montre qu'en 1992 les pays de la Communauté européenne ont enregistré une balance excédentaire record, surtout avec leurs proches voisins (les Canaries, les Émirats arabes, la Turquie, Chypre, le Liban, l'Égypte, la Pologne, la Tunisie, l'Autriche, la Suisse, Israël), tandis qu'ils avaient une balance déficitaire principalement avec les pays éloignés comme le Japon, les États-Unis, la Chine, le Brésil, Taiwan, l'Afrique du Sud, la Russie, la Malaisie, la Thaïlande et la Corée du Sud. Les échanges commerciaux de la Communauté européenne ont, dans une large mesure, suivi ce modèle au cours des dix dernières années. Cela signifie qu'un transfert des ressources — modeste cependant — s'est effectué par l'entremise des pays de la CE, depuis les pays situés en périphérie vers les partenaires commerciaux les plus développés (le Japon, les États-Unis) ou au profit des pays nouvellement industrialisés (la Chine, le Brésil, Taiwan), où les pays de la Communauté européenne investissent et installent de plus en plus leurs activités de production. L'Amérique du Nord a adopté une configuration semblable dans ses échanges commerciaux avec l'Amérique centrale et l'Amérique du Sud.

Tout cela s'est soldé par une fragmentation des trajectoires de développement que s'étaient fixés les pays pauvres du Sud, qui contraste de façon étonnante avec l'intégration économique croissante des pays les plus développés. Voilà qui explique notamment l'échec des politiques de développement poursuivies dans les années 1980, échec qui a valu à cette période d'être appelée « décennie perdue ». Ce n'est que dernièrement que les pays pauvres ont mis à l'essai de nouvelles façons de promouvoir la coopération régionale et d'établir des échanges commerciaux ainsi que des unions économiques entre eux (voir le chapitre 4).

La fragmentation des pays du Sud s'est déroulée en même temps que réapparaissaient dans les riches régions du Nord la pauvreté et les retards de toutes sortes et que la plupart des pays de l'Europe centrale et de l'Est, de même que l'ex-Union soviétique, joignaient les rangs des pays pauvres et sous-développés. La fin de la guerre froide a laissé vide la place qu'occupait l'ancienne division Est-Ouest dans le monde. Le même phénomène s'observe, mais pour des raisons différentes, dans le cas de l'autre grand bloc de notre planète, celui que forme la bipolarisation Nord-Sud.

Ce partage Nord-Sud est issu d'un dualisme économique et social (entre riches et pauvres) et, dans une moindre mesure, de la diversité des régimes politiques en place (à savoir des démocraties représentatives en face de dictatures et de régimes au parti unique). Alors que, vers les années 1960, la décolonisation était plus ou moins achevée sur tous les continents, le fossé qui s'était creusé entre le développement du Nord et celui du Sud a permis à tous les pays du Tiers-Monde de s'apercevoir qu'ils partageaient le même intérêt, tout comme les pays du Nord industrialisé poursuivaient eux aussi un intérêt commun, mais d'un autre ordre. La division Nord-Sud était née. Quelque 30 ans plus tard, celle-ci a profondément changé de visage et a cédé la place à une situation plus complexe.

L'homogénéité relative du Sud a disparu. Seuls quelques pays de l'Asie du Sud-Est ont réussi à se rapprocher du club des pays industrialisés. Ils sont en concurrence avec les pays les plus développés et ce, dans presque tous les secteurs industriels. D'autres pays, telles les monarchies pétrolières du Moyen-Orient, sont parmi les plus riches du point de vue du PIB par habitant, bien que leur développement dépende encore massivement du Nord. À l'opposé, presque tous les pays africains sont victimes de la misère chronique et de conflits militaires entre ethnies et entre États. D'autres facteurs se trouvent à l'origine d'un sous-développement semblable en Asie centrale, en Inde et en Amérique latine.

Actuellement, il existe au moins cinq «Sud»: les nouveaux pays industrialisés du Sud et de l'Asie; le Sud tributaire du pétrole; les nouveaux pays pauvres de l'ancien Deuxième monde que formaient les pays de l'Est (la Roumanie, la Bulgarie, la Pologne, la majeure partie de la Russie, l'Albanie, une partie de l'ex-Yougoslavie, etc.); les pays qui tentent de reconvertir et de restructurer leur économie en vue d'accélérer leur (ré)intégration au Nord (le Mexique, l'Argentine, le Brésil, l'Inde, la Chine, etc.); et, enfin, le Sud très pauvre (l'Afrique, une partie de l'Amérique latine et de l'Asie). Selon une classification récente, on regroupe également les pays du Sud en cinq catégories (voir le graphique 7).

Graphique 7 — Regroupement des pays développés selon leur position dans le commerce mondial

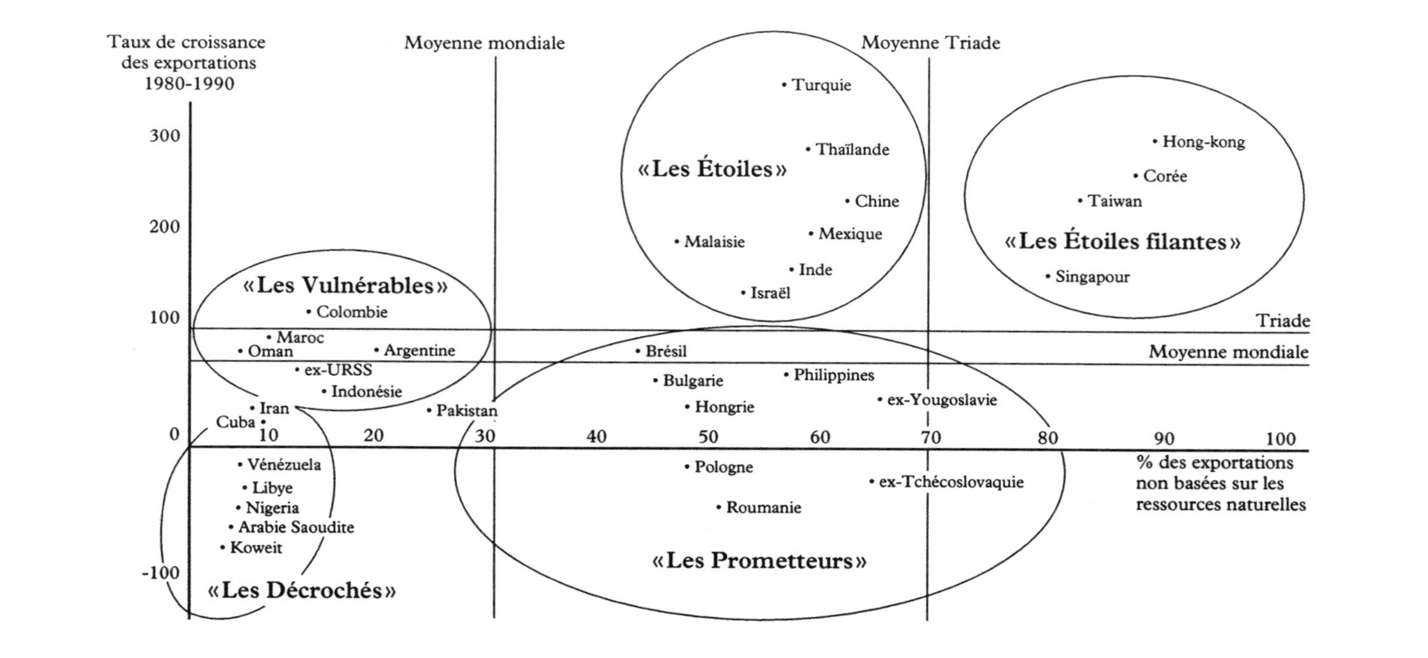

Source : MULDUR, Ugur, *Globalisation de la technologie et de l'économie,* FAST, 1993, vol II.

Si l'on se fie à ce graphique, plusieurs pays producteurs de pétrole ne feraient déjà plus partie du peloton. En effet, ces pays ne cessent de perdre du terrain par rapport au peloton des pays dits en voie de nouvelle industrialisation (ceux de l'Amérique du Sud) pour ce qui est du rythme d'accroissement de leurs exportations et de leur part dans le commerce des produits finis et semi-finis.

Dans de telles conditions, le Sud a disparu en tant que force politique unie, si faible soit-elle. Le Tiers-Monde n'a plus voix au chapitre et, sauf lorsqu'il est question de l'environnement et des droits de la personne, il a cessé, à toutes fins utiles, d'être un interlocuteur important dans les débats, les événements et les négociations qui se déroulent à l'échelle mondiale.

Une évolution aussi profonde n'entraîne certes pas la disparition des considérables différences et inégalités d'ordre économique et social qui divisent les pays et les régions du globe. La ligne de partage entre les riches et les pauvres est encore plus nette qu'il y a 30 ans (voir le «largage» au chapitre 2). L'émergence d'anciennes et de nouvelles formes de pauvreté dans les pays riches a fait naître de nouveaux «Sud» au Nord[60]. Parallèlement, de nouveaux «Nord» dans les pays du Sud sont devenus un très riche segment de la population locale qui, souvent, est mieux intégré aux autres «Nord» du monde qu'au reste des habitants de son propre pays.

[60] D'après Eurostat, la Communauté européenne comptait 44 millions de pauvres en 1992; les États-Unis, quant à eux, auraient huit millions de sans-abri.

CHAPITRE 2

Le nouveau « monde global » à l'heure de la compétitivité

Des événements et des changements radicaux que nous venons de dépeindre, il ressort que le principal défi qui attend les responsables des pays les plus développés est d'empêcher que la transition vers un monde global ne dégénère en guerres destructrices, qu'elles soient de nature militaire, économique, religieuse ou ethnique. Même le conflit nucléaire demeure toujours à l'ordre du jour.

La première partie du présent chapitre traitera de certains aspects majeurs de cette transition, en particulier de l'étendue des mesures à prendre pour que l'intérêt de tous les habitants de la planète et le respect de leur identité l'emportent sur l'égoïsme et la lutte pour la survie.

Dans la deuxième partie du chapitre, nous analyserons en détail quatre des caractéristiques de ce nouveau monde global et concurrentiel, soit: le rôle prépondérant que jouent les entreprises dans la phase actuelle de mondialisation; la nouvelle alliance entre l'entreprise et l'État qui occasionne ce qu'on pourrait appeler un «détournement de mondialisation». La «triadisation» en tant que forme prédominante de la mondialisation actuelle; et, enfin, le processus du largage à l'échelle mondiale que pratiquent les pays riches envers les pays et les groupes marginaux.

Les problèmes de la transition

Entre l'égoïsme et l'intérêt planétaire

En période de transition, les voies que peuvent choisir un individu, un groupe ou une société sont multiples et non prédéterminées. Elles ne sont toutefois pas illimitées. Les forces en présence et les résultats escomptés doivent tenir compte du volontarisme, de la liberté et des aspirations, d'une part, et de l'adaptation, des contraintes et des ressources disponibles, d'autre part. Ces forces constituent des facteurs non linéaires qui agissent dans deux directions opposées travaillant à la fois pour renforcer l'égoïsme de chacun et l'intérêt de tous, comme l'illustre le graphique 8[1].

Graphique 8 — Entre l'égoïsme et l'intérêt planétaire

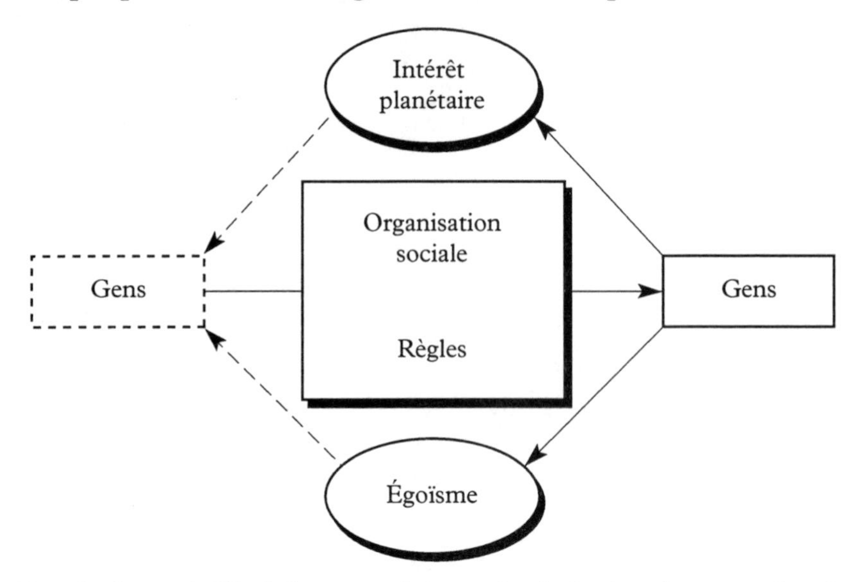

Note : Les lignes pointillées indiquent toute la gamme des réactions humaines que suscitent des choix réels.

De nos jours, les forces qui s'inscrivent dans la ligne de l'égoïsme, de la division et du repli sont présentes dans toutes les régions du globe. La logique de la survie individuelle tend à l'emporter, plus souvent qu'autrement, sur celle de la cohabitation et du codéveloppement à l'échelle mondiale. La particularité de la situation présente tient au fait que nos dispositifs d'action et d'interaction ont atteint un tel degré d'intensité et une telle ampleur que l'impératif dominant de la survie de l'individu finira par fragiliser le système tout entier, voire par mettre en danger la survie même de l'humanité. Pour la première fois nous

[1] Allusion est faite à ces deux lignes d'orientation dans PREEL, Bernard, L'*Euroconsommateur dans l'archipel planétaire,* FAST, Commission des communautés européennes, octobre 1991, p. 4-18 et s.

faisons face à la réalité selon laquelle la sécurité mondiale et la logique de l'intérêt planétaire constituent les conditions préalables de la sécurité individuelle, et vice versa. Il ne faut pas en tirer la conclusion que le rôle des forces locales au sein d'un «monde global» s'en trouve amoindri; bien au contraire, les interactions et interdépendances entre le «local» et le «planétaire» acquièrent de ce fait une nouvelle dimension, plus riche. Ce ne sont pas toujours elles les principales causes de division. Dans la lutte pour la survie égoïste, rares sont les sociétés et les groupes qui cèdent leur place. Il n'est pas rare que des organisations supranationales restent insensibles aux appels de leurs membres moins puissants, que les gouvernement nationaux refusent de tenir compte de leurs composantes régionales, que les régions oublient les villes et les campagnes qu'elles contrôlent. Des villes s'en prennent souvent à leurs quartiers et il n'est pas rare que des gens du troisième s'en prennent à ceux du quatrième dans des guerres de paliers aussi intenses que ridicules!

Jusqu'à une date récente, la division Est-Ouest et Nord-Sud procurait au système international un sens relativement clair de l'orientation qu'il devait prendre. La position des deux camps était nette et stable, et les individus comme les pays savaient auquel des deux ils appartenaient. Cette division est disparue, ouvrant la porte à toute la gamme des choix possibles entre les deux extrêmes mentionnés plus haut.

Le partage Est-Ouest du monde permettait de savoir qui étaient les «bons» et les «méchants», et nous connaissions tous notre «ennemi». Aujourd'hui, il est difficile d'identifier cet ennemi et tout le monde, semble-t-il, est «bon», puisque tous les pays ou presque font appel aux mêmes «bons» principes et aux mêmes «bonnes» pratiques de l'économie de marché. Nous assisterions à l'émergence d'une nouvelle ère de coopération internationale[2].

---

[2] De l'avis de Koichi Minaguchi (président du Nomura Research Institute du Japon), l'économie de marché s'étant répandue dans le monde entier, «une ère nouvelle commence où les pays coopèrent entre eux tout en se faisant concurrence dans le cadre d'une économie de marché. Ce faisant, nous allons tracer une nouvelle carte du monde». Discours d'ouverture du Forum de Tokyo 1993 (le 12 décembre 1992), *Reshaping the World Economy Map, Toward Global Revitalisation of the Market Economy,* Tokyo, Club Foundation for Global Studies, Tokyo, 1993, p. 13-14.

La réalité est fort différente, car les gens — c'est-à-dire chacun d'entre nous — pensent toujours qu'ils sont entourés d'ennemis. Ils ont le sentiment que la sécurité individuelle et collective est continuellement menacée. La division Nord-Sud séparait les pays riches des pays pauvres. La pauvreté a de nos jours gagné du terrain partout; depuis 1960, 20 % de la population la plus fortunée du monde est devenue plus riche, alors que la même proportion de gens parmi les plus démunis s'est encore appauvrie. Il y des Sud partout.

La fin des politiques de plein emploi n'encourage en rien une vision prometteuse de l'avenir. La sécurité économique et sociale n'est plus garantie et les individus doivent dorénavant pourvoir seuls à leurs besoins présents et futurs. La lutte pour la survie est devenue une obsession de tous les instants. On la retrouve même à l'école.

La nécessité de l'identité. L'explosion de l'intolérance locale et de l'exclusion sociale

La connaissance de soi et l'affirmation de sa propre identité se situent au cœur de l'expérience humaine. Toutes les philosophies sont en fait une quête de cette identité. Mais, lorsque le milieu environnant s'effondre ou est gravement déstabilisé, on a tendance à se replier sur soi. La recherche de sa propre identité devient alors vitale — ou du moins c'est ainsi qu'elle est perçue —, car elle seule est en mesure de nous guider et de nous fournir les certitudes et la stabilité recherchées. Savoir qui on est remplace alors la nécessité de découvrir ce qu'on veut ou ce qu'on peut.

Les raisons qui motivent cette recherche de l'identité, et les voies empruntées pour y parvenir, diffèrent d'un groupe à l'autre. Les Chinois de la côte Est de la Chine en voie d'enrichissement, qui sont passés très vite à une économie de type capitaliste, ainsi que les Chinois de Taiwan, qui se demandent s'ils ne doivent pas renforcer leur propre «État» et leur propre «collectivité» ou se joindre tôt ou tard à la «Grande Chine», ont besoin de savoir nettement qui ils sont, ce qu'ils deviennent et la direction qu'ils désirent emprunter. Depuis 1992, la presse mondiale ne cesse d'insister sur l'évolution fulgurante du capitalisme en Chine. Mais selon les statistiques officielles, le phénomène est encore négligeable: en 1991, seulement 220 000 sociétés privées employaient 3,6 millions de personnes, ce qui ne représentait que 1 % environ de la capacité industrielle chinoise. Certes, ces données sous-estiment l'ampleur réelle des faits et sont déjà périmées. Elles nous forcent cependant à mettre les choses en perspective. Pour l'instant, l'avancée du capitalisme dans ce pays est en grande partie attribuable à la diaspora chinoise. Les nations occidentales se montrent toutefois fort intéressées par le marché potentiel que représente un pays où le coût de la main-d'œuvre s'élève à 60 $ par mois[3]. La vague de consumérisme qui déferle sur la Chine est telle que bien des gens, dont des dirigeants haut placés, s'inquiètent de plus en plus de l'absence presque totale de moralité qui caractérise l'actuelle économie chinoise, en pleine surchauffe[4]. Le phénomène s'accompagne déjà d'une destruction environnementale et sociale. Un énorme gouffre se creuse rapidement entre les nouveaux riches et la masse des pauvres qui peuplent l'intérieur du pays, ce qui débouche notamment — et avant même l'échéance de 1997 qui a été fixée pour la réunification de Hong-kong avec le continent — sur un nouvel exode des Chinois vers les États-Unis, Eldorado par excellence.

De la même manière, les Japonais sont forcés de s'adapter à une situation qui leur est tout à fait nouvelle. Leur civilisation a, jusqu'à une époque récente, subi l'influence de cultures étrangères : celle de la Chine, vieille de 2 000 ans, celle des Européens du XVIe siècle et, surtout, du XIXe siècle, et celle du mode de vie américain de notre époque moderne. Ils ont su, sans trop de difficulté, assimiler ces courants, mais l'essor auquel a donné lieu ce contact avec l'extérieur est maintenant chose du passé.

De nos jours, bien des gens considèrent le Japon comme le précurseur d'une nouvelle civilisation dont les forces motrices et les caractéristiques les plus visibles sont, pour l'heure, associées à la révolution techno-scientifique, marquée du sceau de l'automatisation,

---

[3] ZHANG, Zhangli, et YUAM, Enezhen, «The Development of Chinese Private Economy and its Limitations», *Shangai Academy of Social Papers,* Shanghai, 1992. Voir aussi WORTHY, Ford S., «When Capitalism Thrives in China», *Fortune,* 9 mars 1992; KUEH, Y. Y., «Foreign Investment and Economic Change in China», *The China Quarterly,* septembre 1992; et LEW, Roland, «Les espoirs du capitalisme en Chine», *Le Monde diplomatique,* Paris, avril 1993.

[4] Voir les rapports spéciaux sur la Chine, «Beijing Rising», *Newsweek,* 18 février 1993, et «The Pains of Growth», *Newsweek,* 10 juin 1993.

de l'informatique et des communications[5]. Ce sont les Japonais qui donnent le ton. Ils exportent une culture nouvelle dont ils sont en partie les créateurs et les promoteurs, culture à laquelle participent les autres pays par la voie de la concurrence et de la coopération. Voilà un phénomène qui leur était jusqu'alors inconnu et qui diffère sensiblement des méthodes traditionnelles d'expansion et de domination pratiquées par les États «gagnants» à l'égard d'autres nations. Les Japonais ont donc la tâche difficile d'apprendre à maîtriser un processus inhabituel, afin de jouer pour la première fois le rôle de chef de file dans un contexte où règnent une forte interdépendance ainsi que des formes d'«intégration» (relativement) équilibrées entre les sociétés les plus avancées de la planète[6].

Certes, en tant que géant économique dont le produit intérieur brut représente maintenant 15 % du PIB mondial, le Japon a connu une profonde transformation ces 30 dernières années, et son évolution n'est pas terminée.

Il n'est pas surprenant que les intellectuels et les leaders politiques japonais — dont ceux de l'opposition — expriment le même souci face à l'avenir de leur pays, quand ils insistent sur le fait que le seul apport raisonnable du Japon à l'endroit de la communauté internationale consiste à renforcer le monde multipolaire[7] et à promouvoir une plus grande harmonie entre les peuples, dans le cadre d'une mondialisation croissante[8].

---

[5] Il est intéressant de se rappeler que le gouvernement du Japon a été le premier à élaborer et à rendre public, en 1972, un plan détaillé visant à transformer la société industrielle du pays en «société de l'information». Voir *Plan for Information Society. A National Goal Towards Year 2000,* Japan Computer Usage Development Institute, Tokyo, 1972.

[6] Le Institute for Economic Planning for Peace (Tokyo) offre dans son ouvrage, *Economic Development and Regional Integration in Asian Regions,* une intéressante description, du point de vue du Japon, de la manière dont les Japonais entendent maîtriser l'apprentissage de leur nouveau rôle à l'égard du développement de l'Asie du Sud et du Sud-Est. Voir le rapport sur la situation actuelle, *Analysis and Scenarios for Regional Cooperation,* rédigé dans le cadre du programme FAST, Commission des communautés européennes, Bruxelles, mai 1992.

[7] Japan Centre for Economic Research, *The Coming Multipolar Economy. The World and Japan in 2010,* Tokyo, mai 1992.

[8] Voir de l'Economic Planning Agency, Government of Japan, le *Report by the Year 2010 Committee,* Planning Bureau, Tokyo, 1991, ainsi que *Towards a New Global Design,* rédigé par le Japan Economic Research Institute, Tokyo, 1992; voir également *Japan Towards the 21st Century,* Tokyo, 1981, préparé par le Network Institute for Research Advancement.

À l'inverse, on peut aisément comprendre l'attitude des Américains, habitués à se considérer les maîtres de l'univers, en particulier depuis la Seconde Guerre mondiale. Avec l'écroulement de l'Union soviétique, les États-Unis demeurent sans conteste la première superpuissance militaire du monde. Ils ne peuvent cependant pas ignorer le fait que, sur bien des plans, ils ont perdu leur suprématie économique et technologique. Leur hégémonie culturelle encore dominante dans les pays occidentaux est très souvent contestée en dehors de la Triade. Le pays attire encore une masse imposante d'immigrants, mais il n'est plus en mesure de vanter les vertus exceptionnelles de son «style de vie», surtout auprès de ceux qui sont au courant de la détérioration de ses grands centres urbains, de l'énorme violence qui y sévit, du retard qu'accuse l'infrastructure publique, de la crise de l'éducation et de la marginalisation dont sont victimes de larges segments de la population.

On en est encore à débattre de la nature et de l'étendue du déclin de la société américaine. Est-il structurel et irréversible, ou relatif et transitoire? Un renversement est-il possible[9]? Voilà qui explique le leitmotiv des dirigeants américains depuis le début des années 1980, leitmotiv demeuré inchangé sous l'administration Clinton et qui prône toujours de «reconquérir le leadership que l'Amérique exerçait sur le monde». Les titres de nombreux livres qui ont nourri le débat national ces 10 à 15 dernières années sont à cet égard évocateurs: *The Coming Back of America, Made in America. Regaining the Productive Edge, America Can Do It.*

L'Amérique, a-t-on dit, a perdu l'ancien monopole qu'elle détenait sur le sens de l'histoire. Pour la première fois, elle craint d'être délaissée ou mise de côté, et cette peur est réelle[10]. Deux autres facteurs internes sont intervenus pour faire émerger cette mentalité de crise et la recherche d'identité qui règnent aux États-Unis.

Même si au cours des 20 prochaines années la situation démographique est assez stable, les tendances actuelles vont probablement

[9] En ce qui concerne la perte de l'hégémonie technologique, voir EATON, William, «US Closing its Edge in 10 of 11 High-Tech Fields», *Los Angeles Times,* 18 novembre 1992.

[10] LATOUCHE, Daniel, *The New Continentalism. Prospects for Regional Integration in North America.* Rapport FAST, Commission des communautés européennes, Bruxelles, janvier 1992.

accroître les tensions au sein de la population américaine et intensifier les pressions exercées sur elle. Vers l'an 2000, les Blancs de certains États (tels la Californie et le Texas) et de certaines villes formeront la deuxième minorité en importance après les Afro-américains et, surtout, les Hispano-américains. Ces deux groupes deviendront les groupes non blancs les plus importants aux États-Unis. Il est difficile de prédire si cette évolution marquera la fin, dans 20, 30 ou 40 ans, du «rêve ethnique américain». Mais les tensions certes s'amplifieront[11]. Ce n'est pas inévitable, mais on peut sans exagération l'imaginer.

Le deuxième facteur est lié à la crise économique, sociale et urbaine. Celle-ci provoque la disparition graduelle de la classe moyenne (qui a été l'épine dorsale du développement et de la puissance de l'Amérique), l'explosion de la pauvreté (notamment la croissance des sans-logis) et de la violence.

Les Américains ne sont pas les seuls à avoir des doutes quant à leur société et à leur avenir. Une fois de plus, les leaders de la Communauté européenne sont aux prises avec un euroscepticisme croissant. L'année 1993 devait marquer le début de la nouvelle Europe, avec, parallèlement, l'établissement du Marché unique, depuis longtemps l'objet de tous les éloges, et la ratification du Traité de l'Union (connu sous le nom de Traité de Maastricht) par tous les États membres.

En réalité, la situation est tout autre, en particulier sur les plans psychologique et social. La libéralisation des tarifs douaniers (condition exigée par le Marché unique) qui devait être parachevée le 1er janvier 1993 ne l'est toujours pas. Les gens ont l'impression que rien n'a vraiment changé. Plus important encore, la population en général pense que le Traité de Maastricht a été politiquement, en dépit de sa ratification, mis à l'écart en raison, parmi d'autres causes, de la suspension «temporaire» du Système monétaire européen. Bien plus, les référendums de ratification qui se sont tenus dans plusieurs pays européens, en Finlande et en Suède notamment, ont souvent été gagnés par les forces du Oui grâce à l'argument selon lequel l'union économique était la seule voie possible qui de toute façon, ne

---

[11] *Ibidem.*

changerait pas grand-chose. Quant à la Norvège, elle n'a que faire des pressions exercées sur elle. Les Norvégiens ont finalement dit Non.

La récession économique ne constitue qu'une partie du problème. Bien d'autres raisons expliquent la nouvelle vague d'euroscepticisme qui sévit.

En premier lieu, les motifs invoqués à l'appui de l'intégration européenne dans les années 1950 (notamment, opposer un bloc aux pays de l'«Est communiste», éviter pour toujours les situations belliqueuses entre la France et l'Allemagne, combattre l'hégémonie économiques des États-Unis) ont perdu de leur importance. Lesquels met-on de l'avant de nos jours?

Selon toute apparence, l'intégration des marchés ne réussit pas à soulever l'optimisme des Européens. L'élément géographique fait également problème: avec la chute du mur de Berlin et le passage des pays de l'Europe de l'Est à une économie de marché et à un système démocratique représentatif, quelle sorte d'intégration faut-il privilégier à l'échelle paneuropéenne? Et que signifie l'Europe à présent? La Biélorussie fait-elle partie de l'Europe? Maintenant que dans tous les pays européens, une importante minorité musulmane existe et que, on l'espère, l'intégration et la coexistence de ces populations avec les Européens s'intensifieront et s'amélioreront au cours des 20 à 30 années à venir, faut-il encore considérer la Turquie comme un candidat non admissible à l'union monétaire et économique?

En dernier lieu, les peuples européens ont de plus en plus de mal à envisager et à planifier un développement «commun». L'avenir demeure confus[12].

Le monde arabe ne se trouve pas, lui non plus, dans une position très favorable. Profondément divisé en raison des conflits de pouvoir qui opposent l'Iraq, la Syrie, la Jordanie, l'Arabie Saoudite et l'Égypte, son identité et son unité demeurent une source de questionnement perpétuelle. La revendication palestinienne a permis de temporiser ces

---

[12] D'autres aspects de la «problématique» européenne ainsi que l'avenir des sociétés européennes sont traités dans l'ouvrage collectif *Europrospective II, Toward a New Social and Economic Development in Europe,* Presses universitaires de Namur, Namur, 1993.

conflits et de présenter une façade d'unité, mais l'illusion ne trompe plus personne. L'essor considérable qu'ont pris le mouvement et le militantisme islamiques dans plusieurs de ces pays n'a été d'aucune aide. Bien au contraire, les problèmes sociaux et politiques à l'intérieur des pays arabes et entre eux s'en sont trouvés exacerbés, comme l'illustre l'exemple de l'Algérie[13]. Il est à souhaiter que le processus de paix au Moyen-Orient contribue à renforcer l'identité arabe et suggère des solutions à long terme aux nombreux problèmes économiques et sociaux de la région.

On peut faire les mêmes observations à l'égard des républiques de l'Asie centrale, où l'influence grandissante des mouvements islamiques rend encore plus difficile l'instauration de nouvelles sociétés politiques démocratiques et indépendantes. Personne ne peut prévoir de quelle manière évolueront les choses d'ici 10 à 20 ans au Kazakhstan, en Azerbaïdjan, en Ouzbékistan, en Afghanistan ou au Turkestan[14]. Les rapports entre ces derniers et le Pakistan, l'Iran, l'Inde, la Chine et la Russie ne sont déjà pas faciles ni paisibles. Les grands pays voisins comme l'Inde et la Russie sont ébranlés par des tensions internes d'ordre ethnique, politique et social, ce qui complique encore un peu plus l'échiquier régional. D'ailleurs, plus personne n'est surpris lorsque l'on parle d'une crise d'identité dans le cas de l'Inde[15].

De nouveau, la Russie fait exception. Pour l'heure, ce n'est pas la recherche de son identité qui lui pose le plus de soucis, mais plutôt le danger que l'État russe se pulvérise si les pressions en faveur de l'autonomie régionale continuent de susciter des réactions aussi démesurées que celle qu'ont dû subir les Tchéchènes au début de 1995. De toute évidence, le processus de démocratisation en Russie n'ira pas sans excès ni sans contradictions, en particulier lorsqu'on songe à l'extrême concentration de pouvoir et d'autocratie qui a caractérisé l'histoire de l'Union soviétique comme celle de l'Empire des tsars.

---

[13] Au sujet de l'évolution récente et des perspectives du monde arabe, lire RIZK, Charles, *Les Arabes ou l'Histoire à contresens,* Albin Michel, Paris, 1992, et NODINOT, Jean-François, *Vingt et un États pour une Nation arabe?,* Maisonneuve et La Rose, Paris, 1992.

[14] GRESH, Alain, «Les Républiques d'Asie centrale s'engagent sur des chemins divergents», *Le Monde diplomatique,* Paris, décembre 1992.

[15] ZINS, Max Jean, «Le modèle indien balayé par le vent de l'Ouest», *Le Monde diplomatique,* Paris, décembre 1992.

En Espagne, en France et en Italie, la recherche de l'autonomie régionale et le désir d'établir des régimes politiques décentralisés sont le reflet d'une histoire différente, qui s'est étendue sur une longue période. La situation n'a pas la même intensité qu'en Russie, mais les solutions se font toujours attendre.

Le Canada, qui a longtemps été perçu comme un modèle quant à sa façon de faciliter la cohabitation, réciproquement enrichissante, entre ses nombreux groupes ethniques, linguistiques, religieux et régionaux, ne semble plus capable de transformer ses structures politiques de manière à répondre aux aspirations normales tant des Québécois que des «premières nations». N'ayant jamais réussi à devenir un État-nation pleinement intégré, le Canada doit sans cesse chercher une formule qui satisfasse les aspirations «étatistes» des autochtones, celles de ses citoyens francophones, regroupés majoritairement au Québec, et celles des forces régionalistes d'un pays aussi vaste qu'un continent. Le fait que le débat canadien se déroule en termes civilisés et que les partisans d'un régime de souveraineté pour le Québec insistent sur leur attachement à la démocratie est cependant encourageant pour l'avenir du phénomène de recomposition politique auquel nous assistons à l'échelle de la planète.

Le cas du Canada et du Québec témoigne aussi que cette recomposition ne sera pas un phénomène linéaire et homogène. Tout comme l'ALENA ne procède pas de la même intention que l'Union Européenne, les relations politiques et économiques qui ne manqueront pas de s'établir, quelle que soit la formule retenue, entre le Québec et le Canada nous rappellent que c'est à chaque entité géopolitique que revient la responsabilité de trouver les formules qui permettent à ses citoyens de se donner les cadres appropriés pour asseoir leur coopération. La recherche de ces nouveaux arrangements offre peut-être une occasion inespérée aux peuples autochtones de proclamer et d'établir clairement qu'ils sont eux aussi des citoyens du monde.

Le succès récolté par les «ligues» locales en Italie fournit un autre exemple de la quête d'identité et de l'incapacité pour un État-nation traditionnel de proposer des solutions viables. La réussite de mouvements «localités» n'est néanmoins pas le fruit d'une lutte visant à mettre en place des formes plus avancées de démocratie politique et à renforcer la cohésion et la solidarité sociales. Elle découle plutôt de la nature souvent démagogique des moyens qu'ils ont proposés pour résoudre les problèmes politiques ou économiques du pays. S'ils ont réussi, c'est parce que leur analyse de la situation italienne a convaincu une vaste partie de la classe moyenne et des «exclus» que les «autres» (ceux qui sont différents, les étrangers, les immigrants et les «parasites» de la société, comme on les appelle) constituent la source principale de leurs problèmes[16]. Le jeu électoral appelle souvent de telles attitudes, et le cas italien devrait nous rappeler que personne n'est à l'abri de tels débordements. Des idées et comportements semblables se sont répandus dans d'autres pays ces 10 à 15 dernières années et forment le pilier sur lequel s'appuie, aujourd'hui, la résurgence de la xénophobie et du racisme en Allemagne, au Royaume-Uni, en France, en Belgique, en Espagne, en Hongrie et même en Suède. D'où la réaction passive et fataliste, bien qu'incrédule, des sociétés européennes en face des purges ethniques entreprises dans l'ex-Yougoslavie. D'où, également, la passivité de la communauté internationale devant le génocide massif au Soudan et devant les énormes pertes subies par la population civile au Sri Lanka, au Pérou, en Ouganda, en Éthiopie, au Pakistan et au Rwanda, pour ne mentionner que les pays ayant eu le triste privilège, ces derniers mois, d'être le point de mire des médias du monde entier.

L'impératif de la survie. Entre guerres et illusions technocratiques

Le survol très rapide et très incomplet que nous venons de faire de situations aussi éloignées les unes des autres, qui sont cependant interreliées dans un contexte à la fois d'interdépendance et de divisions et d'exclusion[17], nous porte à croire qu'à l'avenir la majorité des gens devront vivre en permanence avec le sentiment que leur existence et leur bien-être sont menacés. La promotion et la défense de sa propre identité s'accompagnent, hélas, souvent du rejet de celle

---

[16] Une intéressante analyse de l'Italie est présentée par PUTNAM, Robert D., dans *Making Democracy Work, Civic Traditions in Modern Italy,* Princeton University Press, New Jersey, 1993.

[17] On trouvera une discussion approfondie sur les changements en cours dans LELLOUCHE, Pierre, *Le Nouveau Monde. De l'ordre de Yalta au désordre des nations,* Grasset, Paris, 1992.

d'un autre. L'incertitude crée encore plus d'incertitude, et l'hostilité accrue nourrit la violence, qui à son tour s'intensifie. On en vient alors à refuser tout changement et à proposer le *statu quo* comme valeur sacrée.

Bien des êtres humains sont devenus prisonniers d'une logique de la guerre, chacun luttant contre l'autre pour assurer sa propre survie. «L'autre» est presque unanimement et spontanément soupçonné d'être un ennemi, une source possible de danger, ou du moins un défi à son existence et à son identité.

Dans la plupart des cas, la guerre est utilisée comme l'ultime remède lorsque les tensions accumulées dans la lutte pour la survie atteignent leur point culminant ou ne peuvent plus être dominées. Dans d'autres cas, elle est le choix le plus facile à faire, surtout pour les gens au pouvoir qui ont prouvé leur inaptitude à apporter une solution constructive aux tensions et aux conflits.

Outre les interventions militaires, l'intolérance et le rejet social, il existe une autre façon de répondre à l'impératif de la survie, pour laquelle optent de plus en plus de pays: celle de l'innovation et du développement technologiques. La maîtrise de la technologie la plus perfectionnée et la moins chère, qui permet de vendre des produits et des services aux marchés les plus rentables et les plus prometteurs, est une arme à laquelle on a de plus en plus recours pour garantir et maintenir sa survie. Mais c'est toujours la même logique de guerre qui domine et qui ne peut aboutir qu'aux mêmes résultats, c'est-à-dire à davantage de méfiance et d'hostilité.

La technologie, c'est le salut, dit-on aux gens. L'innovation technologique compétitive au sein des marchés mondiaux (de préférence privatisés, déréglementés et libéralisés) est ainsi présentée comme le seul instrument efficace pour contrer la logique et la dynamique agressives qui sous-tendent la lutte pour la survie.

Percevoir la maîtrise industrielle de la technologie comme un outil essentiel à la survie n'est ni sans fondement ni, dans une certaine mesure, invraisemblable. Le progrès technique a toujours été un facteur premier d'expansion économique et l'une des conditions de «l'indépendance» politique et économique d'un pays. Toutefois, la technologie exerce désormais des fonctions et joue des rôles d'une envergure sans précédent dans la vie individuelle et collective, ce qui soulève des problèmes et des enjeux qui dépassent à la fois le cadre de la morale individuelle et la souveraineté des États.

La technologie a redéfini la manière dont nous concevons et produisons des biens et des services (au moyen de l'automatisation, de robots, et de l'intelligence artificielle). Elle a repensé la façon dont nous traitons les plantes, les animaux et nos propres corps. Grâce à la technologie, nous ne construisons plus les routes et les infrastructures de communication de la même manière qu'auparavant. Notre façon de vivre à la maison et à la ville a aussi changé. Elle nous a permis de meubler notre temps libre de façon différente et elle est en train de bouleverser de fond en comble l'expression de la créativité artistique des individus et des collectivités. Aucune activité humaine ne semble pouvoir se soustraire à l'influence de la technologie. Notre langage en est le témoin: ne parlons-nous pas d'analphabétisme informatique, d'autoroutes informatiques, de maisons intelligentes, de robots autoreproductibles, de bébés éprouvettes, de télématique rose?

La technologie est devenue la «dimension» fondamentale. Dans le cadre de sa vision de la technologie, qu'il voit comme «un moteur de croissance économique», le président Clinton a clairement fait savoir que l'amélioration des capacités technologiques américaines ne devait être rien de moins qu'une priorité nationale: «Notre prédominance dans la mise au point et la commercialisation de nouvelles technologies est essentielle si nous voulons être parmi les chefs de file de l'industrie, créer des emplois bien rémunérés et assurer notre prospérité à long terme.» On ne saurait mieux formuler et souligner la valeur stratégique attribuée aujourd'hui à la technologie, ainsi que le lien de dépendance qui existe entre cette dernière et le bien-être d'un pays.

La «technologisation» de la société n'est pas un phénomène nouveau. Elle a commencé lorsque furent inventés et utilisés les premiers outils ainsi que les règles régissant leur production et leur utilisation. Elle est nouvelle, cependant, de par la nature et l'étendue de son intensification et de son déploiement au cours de la deuxième moitié de ce siècle. Ces derniers processus reflètent les percées fondamentales effectuées dans le domaine des connaissances de base et de la technologie afférente en ce qui a trait aux quatre piliers de la société humaine que sont l'énergie, les matériaux, les organismes vivants et l'information.

Il y a 40 ans, la manipulation génétique, telle la procréation médicalement assistée ou la modification biologique des organismes, faisait appel à des concepts et à des procédés que seule l'imagination fertile de scientifiques et d'auteurs de science-fiction pouvait envisager. Ils figurent à présent à l'ordre du jour des débats publics qui ont cours dans la majorité des pays évolués où ils sont élaborés et mis en application. La nouveauté des biotechnologies réside dans le fait qu'elles permettent d'utiliser le vivant pour atteindre des objectifs auparavant impossibles en matière de santé, d'agriculture, d'alimentation ou de gestion de l'environnement. Elles sont en mesure d'élever la productivité des plantes et des animaux tout comme elles favorisent l'élaboration et la production de nouveaux médicaments, ainsi que le recours aux micro-organismes à des fins environnementales (le traitement des déchets urbains, par exemple[18]). On parle même de micro-processeurs biologiques.

Leur développement et leur utilisation soulèvent néanmoins plusieurs questions d'ordre éthique et social, que ni la législation ni les praticiens n'ont encore résolues. Ainsi, devrait-on permettre que les micro-organismes soient brevetés à des fins commerciales ? À cet égard, tous les pays ne se sont pas prononcés. Certains, comme les États-Unis, ont répondu par l'affirmative. Jusqu'à quel point devons-nous autoriser l'émission dans l'environnement d'organismes modifiés biologiquement ? Qui doit décider des conditions et des contrôles à appliquer dans le cas de la procréation médicalement assistée ? Comment peut-on être certain que l'intervention demeurera dans les limites de la thérapie génétique et ne sera pas une forme délibérée d'eugénisme actif ? Aux États-Unis par exemple, on a autorisé dans les causes criminelles l'identification au moyen du code génétique. Devrait-on permettre aux compagnies d'assurances et aux entreprises

---

[18] OCDE, *Biotechnologie : effets économiques et autres répercussions,* OCDE, Paris, 1989; SASSON, Albert, et COSTARIN, Vivien, *Biotechnologies in Perspective,* UNESCO, Paris, 1991.

d'y avoir recours[19]? La plupart des compagnies pharmaceutiques et sociétés œuvrant dans le domaine de la santé — pour ne citer que celui-ci — sont favorables au développement et à l'utilisation de cette nouvelle technologie. Les critères sur lesquels leur jugement se fonde ne sont, bien sûr, qu'économiques. Les technologues eux aussi ont tendance à influencer les décideurs publics, souhaitant que ces derniers adoptent des règles et des approches plus permissives. D'après eux, les processus susmentionnés seront à l'origine de nouvelles «révolutions technologiques» qui ne peuvent que contribuer au mieux-être de l'humanité.

La réalité est beaucoup plus complexe et comporte de multiples facettes, comme le montrent les résultats de plusieurs évaluations technologiques effectuées dans plusieurs pays[20]. Les aspects reliés au commerce, à l'économie et au marché ne peuvent prévaloir sur les enjeux et les choix sociaux, politiques et éthiques. Il faut y réfléchir.

Les progrès accomplis dans le domaine de l'énergie ont également ouvert la voie à une multitude de possibilités «révolutionnaires». Si l'on exclut le rôle encore hautement controversé que peut jouer, même à des fins civiles, l'énergie nucléaire, les technologies mises au point pour économiser l'énergie et exploiter les sources d'énergie renouvelables ont contribué à modifier le paysage énergétique mondial, en particulier dans les pays industrialisés[21]. Ici encore, les moyens mis en œuvre ont eu maintes conséquences négatives et ont suscité une foule de problèmes qui sont devenus des défis de taille. Ces problèmes sont surtout d'ordre environnemental, et certains, comme la congestion urbaine et les modes de vie auxquels ils ont donné lieu, débouchent

---

[19] Sur ces questions, consulter STOA, *Bioethics in Europe, Scientific and Technological Options Assessment,* Parlement européen, Luxembourg, 1992, et *Biotechnologia y sociedad, Percepcion y actitudes publicas,* MOPT, Madrid, 1992.

[20] Voir en particulier les conclusions tirées des études de cas portant sur les «Risk Perception in Society and the Role of Public Information. The Example of Genetic Engineering», dans *Technology and Democracy,* troisième congrès européen sur l'évaluation de la technologie, Copenhague, du 4 au 7 novembre 1992, publié par le Danish Board of Technology, 1993.

[21] GUILMOT, J.-F., *et alii, Énergie 2000: une projection de référence et ses variantes pour la Communauté européenne et le monde à l'horizon 2000,* Commission des communautés européennes, Economica, Paris, 1986; et *Energy in Europe. A View of the Future,* Commission des communautés européennes, Luxembourg, 1992.

carrément sur un gaspillage massif et généralisé des ressources naturelles de la planète[22].

Cela vaut également pour l'autre grande famille technologique que sont les technologies de l'information et la communication (TIC) et que l'on considère, davantage peut-être que les technologies énergétiques et les nouvelles biotechnologies, comme la source principale de la «troisième révolution industrielle». Bien des termes et des superdéfinitions ont été utilisés pour chanter les louanges de cette «révolution»: la «société de l'information», la «société de l'ordinateur», la «révolution informatique», la «société sans papier», l'«économie informatique», la «société de l'informédiation». Mais c'est toujours de la même réalité dont on parle.

Point n'est besoin de partager ou non ces points de vue très répandus. Il est en tout cas incontestable que les TIC ont eu jusqu'à présent d'énormes répercussions, pour le meilleur et pour le pire[23], sur toutes les activités clés de l'économie, sur la nature de celles-ci (de plus en plus dématérialisées), sur l'organisation des usines et des bureaux et sur la distribution et la répartition territoriales des secteurs économiques, tant à l'intérieur qu'à l'extérieur des pays. Les TIC ont modifié la structure de l'organisation et des conditions du travail[24] et ont influé sur l'expansion et la transformation des activités liées aux services, sur les rapports entre les sociétés privées et les autorités publiques ainsi que sur les liens qui unissent les PME et les grandes entreprises. Elles ont constitué l'une des causes principales de l'explosion de la mondialisation des entreprises financières et commerciales. Ces technologies ont amené les firmes comme les pays à redéfinir leurs atouts comparatifs[25]. Elles

---

[22] GOLDENBERG, J., JOHANSSON, T. B., REDDY, A. K. M., WILLIAM, R. H., ROSENSTIEHL, F., Energy for a Sustainable World, World Resources Institute, 1987.

[23] BJORN-ANDERSEN, Niels, *et alii, Information Society for Richer, for Poorer,* North-Holland Publishing Co., Amsterdam, 1982.

[24] Voir «L'ordinateur, l'homme et l'organisation», numéro spécial de *Technologies de l'Information et Société,* vol. 3, n°s 2 et 3, Presses universitaires du Québec, 1991, ainsi qu'une discussion très utile reposant sur une étude de cas paradigmatique concernant les rapports entre les sexes, de ERIKSSON, Inger V., KITCHENHAM, Barbara, et TIJDENS, Kea G., *Women, Work and Computerization,* North-Holland, Amsterdam, 1991.

[25] NORTHCOTT, Jim, en collaboration avec WALLING, Annette, *The Impact of Microelectronics,* Policy Studies Institute, Londres, 1988.

ont aussi accentué la concentration de l'accès à l'information, des processus décisionnels, du contrôle et du pouvoir. Comme nous l'avons mentionné dans une précédente section, elles ont en outre accéléré la crise de l'emploi, en étant l'une des grandes responsables de la substitution de la main-d'œuvre dans les secteurs tant de la fabrication que des services[26]. Elles ont enfin contribué à l'intensification de la course à la compétitivité dans les domaines économiques et sociaux qui jusque-là avaient été relativement épargnés. Ainsi, même les communautés artistiques sont aujourd'hui «en compétition» quant à leur degré d'innovation technologique.

En raison de leur gigantesque potentiel d'application dans presque toutes les sphères de l'activité humaine, les technologies de l'information et de la communication ont été vues comme de puissants instruments aptes à résoudre les nombreux problèmes qui assaillent les sociétés contemporaines. Dans la majorité des situations, les acquis et le progrès sont réels. Il en est sorti une pléthore de techno-utopies et de fixations technologiques qui dominent toute la scène. Ainsi,

- il existe une opinion très répandue selon laquelle la crise urbaine se réglera moyennant de nouvelles infrastructures et de nouveaux services informatiques et de communication dans les domaines du transport et de la poste, de la santé et des services sociaux, du tourisme et des loisirs, du télétravail et du téléenseignement. Enfermons les gens à domicile, ainsi les embouteillages disparaîtront :

- la planification automatisée de même que les systèmes de surveillance et de contrôle sont présentés comme des outils facilitant d'emblée l'établissement et la gestion de modes de transport intra et interurbains ;

- les TIC sont présentées comme la nouvelle «arme» fondamentale des villes, pour assurer leur compétitivité à l'échelle internationale,

[26] On trouvera une analyse très intéressante, axée sur le cas japonais, dans FRANSMAN, Martin, *Information Technology in Japan,* Cambridge University Press, 1990. Voir également CASTELLS, Manuel, *The Informational City, Information Technology, Economic Restructuring and the Urban-Regional Process,* Blackwell, Londres, 1989, et NIOSI, Jorge (éd.), *Technology and National Competitiveness,* McGill Queen's University Press, Montréal, 1991.

ainsi que celle des régions périphériques ou isolées et des zones rurales qui dépendent d'elles;

- la démocratie participative — nous dit-on — sera facilitée par la mise en place de réseaux d'information et de communication reposant sur des technologies électroniques instantanées.

Étant donné l'histoire récente des TIC, la prudence s'impose quant à l'évaluation de leur rôle. On peut néanmoins affirmer, en s'appuyant sur maintes preuves empiriques, que les obsessions technologiques ne témoignent que d'une partie de la réalité et que, dans la majorité des cas, la technologie n'est pas l'élément de solution le plus décisif[27].

Vers de nouvelles divisions: conflits entre civilisations? La guerre économique et la concurrence

Les systèmes économiques et politiques qui viennent de disparaître à l'Est et les sociétés dont les structures subissent des transformations profondes auront leurs successeurs. Personne n'est indispensable, devrait-on se rappeler. Mais il y a également danger que de nouvelles divisions du monde, basées sur l'identification de nouveaux ennemis, soient imposées par des forces politiques et culturelles qui assiéront leur domination sur la peur et sur la nécessité de vaincre ces nouveaux ennemis.

Selon certains, le «nouveau monde» naîtra d'une nouvelle et longue période de conflits et de mésententes entre les peuples et les nations, laquelle s'inscrira dans la ligne des conflits culturels et des chocs entre civilisations[28]. On nous parle d'apocalypse imminente et de nouvelles guerres froides.

Cet argument est révélateur. Il découle de l'observation selon

---

[27] BERLEUR, Jacques, *et alii, Évaluation sociale des nouvelles technologies de l'information et de la communication,* Presses universitaires de Namur, Belgique, 1990; BERLEUR, Jacques, et DRUMM, John (éd.), *Information Technology Assessment,* IFIP, North-Holland, Amsterdam, 1991, et PETRELLA, Riccardo, «Information and Communication Technology: Achievements and Prospects», ainsi que BERLEUR, Jacques, BEARDON, C., et LAUFFER, A. (éd.), *Facing the Challenge of Risk and Vulnerability in an Information Society,* IFIP, Elsevier Science Publishers, B. V., Amsterdam, 1993.

[28] HUNTINGTON, Samuel P., «The Clash of Civilisations?», *Foreign Affairs,* 72, 3, 1993, p. 22-49.

laquelle les différentes identités culturelles et civilisations, qui sont le produit de siècles d'histoire ont au fil du temps provoqué les conflits les plus meurtriers qui soient. Il met l'accent sur le fait que la plupart des discordes politiques, économiques et militaires dans le monde sont dues à des affrontements d'ordre ethnique, religieux ou culturel.

Plus le monde rapetisse — suggère cet argument —, plus les interactions entre les peuples appartenant à différentes civilisations s'accroissent, ce qui augmente les possibilités de coopération mais aussi d'hostilité. Or, puisque le système «occidental» est devenu le système de référence dominant (avec tout ce que cela suppose de changements économiques, politiques, sociaux et culturels), les sociétés non occidentales tendent à réaffirmer leur identité de base, ce qui se traduit souvent par un repli sur elles-mêmes, quand ce n'est pas un rejet systématique du système «occidental». Cette réaction porte le nom de «réislamisation du Moyen-Orient», d'«hindouisation» de l'Inde, d'«asianisation» du Japon, de «rechristianisation» de l'Europe, et ainsi de suite. Samuel Huntington est à ce sujet très clair et mérite d'être cité au long:

«Les conflits les plus importants de l'avenir éclateront le long des failles qui séparent les civilisations[29]. Le choc des civilisations a maintenant lieu et aura lieu sur deux plans. À une microéchelle, les groupes qui cohabitent le long de ces fissures luttent, souvent avec violence, pour s'approprier le contrôle du territoire et du groupe voisins. À une macroéchelle, les États de civilisations différentes entrent en concurrence pour obtenir un pouvoir militaire et économique relatif, cherchent à avoir la mainmise sur les institutions et les tierces parties internationales et essaient, au moyen de la compétitivité, de promouvoir leurs valeurs politiques et religieuses. Les rivalités entre civilisations remplacent les frontières politiques et idéologiques de la guerre froide en tant que facteurs de crise et d'effusion de sang[30]».

En conséquence, voici ce qu'on prédit:

- le prochain affrontement que connaîtra l'Occident sera provoqué par le monde musulman, où, dit-on, se manifeste une «réaction

---

[29] *Ibidem,* p. 25.

[30] *Ibidem,* p. 29.

populaire, irrationnelle mais certainement historique, puisque ancienne, contre l'héritage judéo-chrétien[31]»;

- de nouveaux conflits éclateront entre les Slaves et les Turcs et entre les musulmans et les hindous du sous-continent indien;
- les opérations de «nettoyage ethnique» se multiplieront;
- et enfin, et ce n'est pas la moindre des prévisions, il est possible que la «prochaine guerre mondiale, s'il y en a une, soit une guerre de civilisations[32]».

Ces hypothèses doivent être manipulées avec prudence, d'autant qu'elles reposent sur un fort parti pris: leurs auteurs semblent dire, en effet, que la guerre entre les civilisations sera une guerre entre «l'Ouest et le reste du monde[33]». D'où la recommandation qui est faite souvent à l'Occident de se préparer à cette éventualité[34]. Très rarement arrive-t-on à la conclusion que le monde occidental (et les autres pays) devrait chercher à instaurer les mécanismes et les institutions de coopération aptes à éliminer, tout au moins à minimiser, les sources majeures de conflit. On pousse la logique de la compétitivité à son extrême, celui de la mobilisation.

Benjamin R. Barber propose une autre analyse d'après laquelle la tendance vers un monde technocratique homogénéisé (qu'il appelle la mondialisation McWorld) ainsi que son contraire, soit la résurgence du tribalisme ethnique et religieux, menacent tous deux la démocratie et empêchent l'individu-citoyen de jouer un rôle constructif sur le plan social[35]. Dans le McWorld, l'individu n'existe que comme client alors que dans les situations de Djihad, il ne peut être que disciple. Soulignant les faussetés qui se cachent derrière la prétendue rationalité de la technocratie mondiale et de l'intégrisme culturel et religieux, l'auteur avance la thèse que la démocratie sera préservée,

---

[31] Voir LEWIS, Bernard, «The Roots of Muslim Rage», *Times,* 15 juin 1992, p. 24-28.

[32] HUNTINGTON, Samuel P., *op. cit.,* p. 39.

[33] MAHBUBAN, Kishore, «The West and the Rest», *The National Interest,* été 1992, p. 3-13.

[34] *Ibidem.*

[35] BARBER, Benjamin R., «Djihad vs McWorld. Globalisation, Tribalism and Democracy», *The Atlantic,* mars 1992.

et s'étendra même, grâce aux confédérations régionales fondées sur des entités socio-économiques et culturelles plus petites que les États-nations. Les tentatives actuelles faites en vue de créer des unions régionales intégrées sur le plan économique et politique constitueraient selon lui un pas dans cette direction.

Toutefois, ce qui ressort avec le plus de clarté de l'analyse des tendances prédominantes, c'est l'émergence d'un « nouveau monde global » caractérisé, pour l'instant, par un type nouveau de guerre, la guerre techno-économique compétitive pour la domination mondiale. Si les politiques actuelles des pays les plus riches continuent d'inspirer et de dicter les visions, les choix et les actes des individus et des groupes, cette guerre sera, au cours des 15 ou 20 prochaines années, le moteur de la division au sein des sociétés et entre elles à l'échelle mondiale.

Caractéristiques du nouveau « monde global » concurrentiel

L'entreprise qui se mondialise semble figurer au nombre des rares organisations capables de s'ajuster au nouveau monde global, marqué au sceau de la guerre techno-économique compétitive visant la suprématie planétaire. Paradoxalement, elle doit être au centre de nos préoccupations et de nos tentatives de dépasser la course à la compétitivité. C'est beaucoup lui demander, d'autant plus qu'on en fait souvent l'outil privilégié de la guerre compétitive. Mais l'entreprise mondiale a d'immenses capacités. Il est temps de la réhabiliter. D'ailleurs, on ne peut pas se permettre de ne pas le faire.

L'entreprise: acteur mondial numéro un

Contrairement à l'internationalisation qui se déroule dans un contexte où l'État-nation demeure l'espace de pouvoir et de référence privilégiée, la mondialisation prolonge le processus entamé par la multinationalisation, soit l'émergence de l'entreprise « mondiale » en tant qu'acteur numéro un de l'économie et de la société contemporaines.

C'est un fait de plus en plus admis que l'entreprise « mondiale » se substitue peu à peu aux autorités publiques dans la direction et le contrôle de l'économie mondiale. Les autorités nationales détenaient jadis un énorme pouvoir de décision en matière d'économie (au moyen des politiques monétaires, de la fiscalité, de la réglementation commerciale, des services, des marchés et des travaux publics, de l'édiction des normes, etc.). Ce pouvoir s'est trouvé considérablement réduit par 20 années de privatisation, de déréglementation et de libéralisation qui ont, à leur tour, accru la puissance économique des sociétés privées. C'est maintenant le secteur privé qui édicte ses dispositifs et ses règles. Ce sont les gouvernements qui se réunissent pour faciliter la vie aux entreprises et non l'inverse. En outre, les processus de mondialisation ont contribué à répandre l'idée que la puissance des pouvoirs publics est contre-productive, c'est-à-dire qu'elle empêche le fonctionnement «sans entraves» de l'économie de marché, sur les plans tant international que mondial. Les interventions de l'État-nation en économie ont été présentées comme une source de contraintes, très rarement comme un avantage. Cette image domine aujourd'hui le paysage idéologique mondial. On peut certes le déplorer mais rien n'interdit d'utiliser l'image contre elle-même. Nous y reviendrons.

En ce qui concerne l'entreprise privée, la situation est totalement différente. Les grandes sociétés multinationales se sont bien remises de la crise de confiance et de crédibilité dont elles ont souffert dans les années 1960 et au début des années 1970. On les traite désormais avec beaucoup de respect et elles sont courtisées par tous. Les raisons en sont multiples.

D'abord, les grandes entreprises ont prouvé qu'elles étaient assez souples pour s'adapter à la conjoncture, en particulier à la mondialisation de l'économie. «Devenir mondial» s'est avéré beaucoup plus aisé pour elles que pour les gouvernements, les parlements, les syndicats ou les universités. Ce qui ne veut pas dire que cela s'est fait instantanément. C'est ce que Philippe De Woot a qualifié d'aptitude stratégique des entreprises à innover et à harmoniser leurs attitudes et leur comportement au contexte actuel, en constante évolution[36].

À cause des difficultés plus grandes éprouvées par les autres

---

[36] DE WOOT, Philippe, en collaboration avec DESCLEE, Xavier, *Le Management stratégique des groupes industriels,* Economica, Paris, 1984.

acteurs, les entreprises se sont trouvées seules à jouer vraiment le jeu de la mondialisation. Dans une large mesure, elles ont donc gagné par défaut.

Encadré 2

Pourquoi l'entreprise est-elle l'acteur clé?

- Elle est la seule organisation à avoir su se transformer en un joueur «mondial». Elle possède un réel pouvoir de décision.
- Notre société a accordé toute la priorité à la technologie et au perfectionnement des outils. Or, l'entreprise produit ces outils.
- L'entreprise est vue comme le grand artisan de la richesse et de l'emploi, et, donc, du bien-être individuel et collectif.

La deuxième raison est liée au fait que nos sociétés ont accordé une importance accrue, durant ces 40 dernières années, à l'impératif de la croissance et de la production de biens de plus en plus nombreux. Fascinés par les remarquables progrès de notre technologie, nous avons placé en tête de liste de nos priorités la «culture des objets».

En tant que producteurs des objets, des infrastructures technologiques et des services qui tracent les contours de la nouvelle économie mondiale, les entreprises ont eu dès lors beau jeu de proclamer que «ce qui est bon pour l'entreprise est également bon pour tout le monde».

On peut fournir une troisième explication à la place qu'occupe l'entreprise en tant qu'acteur clé. Selon l'enquête menée par l'ancien Centre d'études et de recherches des Nations Unies sur les entreprises transnationales, le tiers des échanges commerciaux qui ont eu lieu dans le monde en 1991 est à porter au compte des opérations intra-entreprises. Il en découle que les statistiques mondiales sur le commerce, qui se fondent toujours sur les échanges entre pays, sont de moins en moins en mesure de refléter les caractéristiques actuelles du commerce mondial. L'analyse conventionnelle des échanges internationaux perd ainsi une partie de son fondement et de sa pertinence si elle repose toujours sur les atouts comparatifs d'un pays. Les avantages «comparatifs» se jouent de plus en plus au sein des réseaux d'entreprises multinationales et de leurs nombreuses filiales.

À chacune on confie des mandats mondiaux et, pour y arriver, l'entreprise privilégie les autres membres du réseau comme fournisseurs. Ce n'est plus l'entreprise qui doit être efficace, c'est son réseau. Mais comment évaluer ce dernier?

La même remarque vaut pour l'évaluation de la compétitivité des pays à l'échelle internationale, qui prend appui sur les écarts de rendement commercial qui existent entre eux. Il devient irréaliste de percevoir l'économie mondiale comme un système de libres échanges commerciaux: les opérations qui se font entre les succursales d'une même société relèvent d'une logique qui n'a rien à voir avec celle du libre-échange.

La quatrième raison, enfin, est que la plupart des facteurs et processus qui déterminent l'essor économique d'une société, comme le niveau de l'emploi, jouent de plus en plus à une échelle que les gouvernements et institutions nationales et même supranationales sont impuissants à contrôler. À l'inverse, les réseaux mondiaux tissés par les multinationales sont capables de maîtriser ces éléments et, par conséquent, d'être les meneurs du jeu dont dépend de façon grandissante le bien-être économique et social d'un pays. C'est dans ce contexte qu'une nouvelle alliance entre l'entreprise et l'État a donc été conclue[37].

Il faut tenir compte de ce nouvel environnement.

La nouvelle alliance entre l'entreprise et l'État

En même temps cause et effet de la mondialisation, les nouveaux rapports entre l'entreprise et l'État constituent l'une des caractéristiques les plus marquantes du «monde global» en construction.

À première vue, ces nouveaux liens s'expriment de deux manières.

Tout d'abord, les décisions les plus importantes quant à la répartition des ressources technologiques et économiques (celles qui modifient le présent et façonnent l'avenir), sont prises surtout par de grandes sociétés mondiales (Olivetti, Alcatel, IBM, Mitsubishi, Nesté,

---

[37] Concernant la nouvelle alliance, lire PETRELLA, Riccardo, «La mondialisation de l'économie: une hypothèse prospective», *op. cit.,* et McGREW, A., LEWIS, Paul, *et al., Globalisation and the Nation State, op. cit.*

Thomson, Siemens, BP, BASF, Monsanto, Ericsson, Northern Telecom, Nissan, etc.). Cette tendance s'est encore accentuée ces dernières années, alors que les restructurations se sont succédé et que les offres publiques d'achat — certaines atteignant jusqu'à 24 milliards de dollars — ont continué de faire les manchettes et ont été parmi les événements les plus médiatisés. On peut donc avoir l'impression que les entreprises font la pluie et le beau temps en ce qui concerne les télécommunications, l'agro-industrie, la production automobile, les systèmes d'assurances, etc. Et leur puissance s'est étendue à des domaines qui avaient jusqu'à ce jour échappé à leur influence, tel celui de l'éducation supérieure et des universités.

En second lieu, l'État paraît jouer un rôle effacé, secondaire et qui tend à disparaître en regard de celui que tient l'entreprise. Il semble réagir plutôt que prévoir, suivre plutôt que diriger. Il est sur la défensive et arrive difficilement à renouveler son discours. Certes, il demeure plus puissant qu'on aime à le croire, mais il arrive mal à mobiliser sa puissance autrement que pour la mettre au service des entreprises qui aiment laisser croire qu'elles n'en ont pas vraiment besoin.

Ces deux points ne rendent ni l'un ni l'autre justice à une réalité qui est plus complexe et plus subtile. En effet, il ne faut pas tant se demander si ce sont les sociétés qui mènent le bal, alors que les États ne feraient que suivre le «chef» et se comporteraient comme de simples greffiers qui inscrivent les décisions prises par d'autres. Ce que l'on doit observer, et qui est nouveau, véritablement nouveau, c'est que les États et les entreprises sont entrés dans une nouvelle ère d'alliances dynamiques. L'État n'est pas passif; au contraire, il est encore actif, surtout dans les sphères mondiales de la technologie et de l'économie. Mais il ne s'y conduit pas comme un leader. De plus en plus, il est amené à agir à travers l'entreprise. Par exemple, c'est vers l'entreprise que se tournent maintenant nos ministères de l'Éducation pour mettre en œuvre des politiques de formation permanente. À la limite, on pourrait dire qu'elles abdiquent leur responsabilité.

Étrangement, l'entreprise est en voie de devenir la principale organisation qui «gouvernera» l'économie mondiale, avec l'appui des États «locaux», lesquels peuvent être aussi petits que le Danemark ou le Québec, ou aussi vastes que les États-Unis ou l'Union Européenne. Selon cette vision des choses, l'État agit comme un «complice consentant» très conscient du rôle qu'il tient et s'accommodant très bien du fait qu'il est devenu indispensable. Puisqu'il constate que, dans le cadre de la dynamique de la mondialisation croissante de l'économie, son rôle est appelé à se transformer radicalement à longue échéance, il assume la tâche qui, présume-t-il, lui revient du point de vue historique: voir à ce que «ses propres» acteurs clés stratégiques, les multinationales «locales» (seules capables de prendre leur place au sein de l'économie mondiale) réussissent à mener à bien le processus de mondialisation de l'économie «nationale». On présume que la réussite des firmes nationales sur la scène mondiale est la condition essentielle de l'acquisition et de la préservation de l'autonomie technologique et économique du pays.

Ce raisonnement se veut le reflet de toute une gamme d'exigences et de forces objectives qui s'expriment de la façon suivante:

- L'intégration accrue des technologies (traitement des données et télécommunications; micro-électronique, matériaux composites et technologies optiques) et des secteurs (agriculture, chimie et énergie; traitement à distance des données et médias). Ce phénomène oblige les entreprises à chercher des moyens de «couvrir», directement ou non, tous les domaines qui influeront probablement sur l'expansion de leur champ d'activité spécifique. Dans ce contexte, il importe, pour que ces secteurs soient bien couverts, de contracter une alliance avec l'État des divers pays qui «comptent».

- Des coûts dépassant les trois milliards de dollars au chapitre de la R-D sont nécessaires pour concevoir et lancer une nouvelle génération de mégatransporteurs comme les Boeing 747; la mise au point d'un nouveau système de conversion de téléphones numériques coûte, elle aussi, près de trois milliards de dollars; l'invention et la mise en application d'une simple enzyme industrielle représentent environ 100 millions de dollars. Le graphique 9 illustre les coûts que supposent la conception et la mise au point de mémoires DRAM. L'accélération de ces coûts, qui se produit sur fond d'incertitude, force les entreprises à chercher de l'aide auprès d'autres entreprises (souvent étrangères) et de l'État.

- Le cycle de vie des produits s'abrège (de six à huit mois dans l'industrie du vêtement; entre deux et trois ans dans les domaines de l'automatisation et du traitement des données). Cela exige des niveaux d'amortissement plus élevés et des marchés très vastes. En conséquence, l'accès à plusieurs contrats publics devient un important objectif stratégique.

Graphique 9 — Coût de la R-D pour la conception de mémoires DRAM

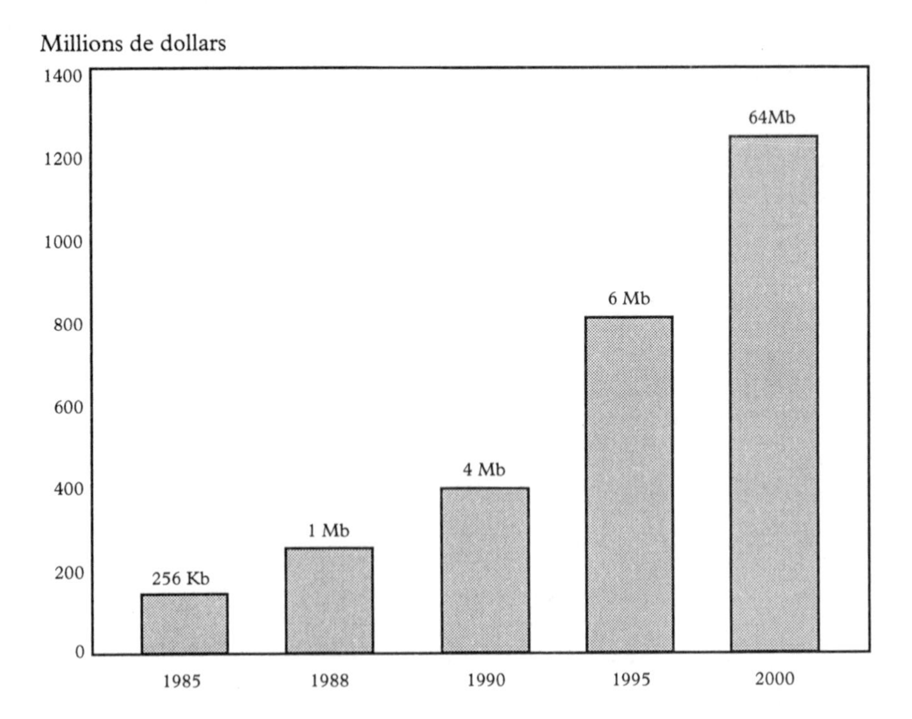

Source: *Le Temps des Affaires,* Genève, nº 48, octobre 1992.

Il existe dans la plupart des pays les plus industrialisés une « certaine » pénurie de main-d'œuvre hautement qualifiée, ce qui oblige d'une part les entreprises à combler leurs besoins là où elles le peuvent, d'autre part, l'État à investir dans les programmes de R-D et dans les universités afin de garantir aux entreprises qu'elles trouveront les candidats très formés qu'elles recherchent. Curieusement, on fait porter le blâme de ces pénuries aux ministères de l'Éducation et non aux entreprises.

Vu cette situation, les entreprises sont amenées à conclure des alliances «stratégiques» qui leur permettront d'entretenir des liens de collaboration étroite et systématique avec d'autres firmes, voire avec leurs concurrentes. Cette forme de plus en plus répandue d'entraide entre les entreprises, qu'on observe dans tous les domaines de l'activité économique, en particulier dans ceux de la technologie de pointe (micro-électronique, robotique, télécommunications, industrie aérospatiale, biotechnologie), témoigne d'une attitude nouvelle: la collaboration entre les entreprises est désormais un outil leur permettant de demeurer ou de devenir «compétitives» sur le plan mondial.

Une entreprise améliore son rendement et sa compétitivité lorsqu'elle s'intègre à un processus d'expansion cumulatif dans lequel elle est à la fois la force motrice (le sujet) et le résultat (l'objet). Ce processus dépasse le cadre de l'entreprise comme telle, puisqu'il englobe les aspects commerciaux, technologiques, politiques et autres, qui ont une influence décisive sur les chances de réussite. Mais à son tour, ce processus est fortement tributaire de l'entreprise qui, en saisissant les occasions et en se rajustant constamment à la concurrence par les initiatives stratégiques qu'elle prend, constitue une force dynamique et souvent novatrice.

Un tel processus est créateur de compétitivité. Dans le cas des grandes entreprises, il se fonde sur quatre éléments distincts:

- une vision claire des perspectives à long terme et l'existence d'occasions justifiant les risques encourus en mettant au point de nouvelles technologies et en investissant sur une vaste échelle; ces occasions peuvent se traduire par de nouveaux marchés importants, une demande en croissance rapide et des projets publics d'une bonne envergure;

- la création par les entreprises de moyens stratégiques suffisants leur permettant d'agir à l'échelle mondiale dans des secteurs clés;

- l'acquisition d'atouts concurrentiels sur le plan international, grâce aux moyens stratégiques accrus dont les entreprises se sont dotées.
- une rentabilité suffisante pour permettre aux entreprises de supporter le coût de leur mondialisation et les risques inhérents à une telle stratégie.

Ces entreprises font donc partie de plusieurs réseaux de collaboration et d'alliances où interviennent divers partenaires. En dernière analyse, toutes sont imbriquées dans des groupes, plus ou moins faciles à circonscrire, de technologies, de produits et de marchés[38]. Le modèle général qui émerge est celui d'une série de structures mondiales oligopolistiques qui présentent le danger de pouvoir donner naissance à des mégacartels mondiaux d'une puissance jamais égalée. Doit-on encore parler de concurrence?

Les caractéristiques d'un grand nombre d'entreprises et de secteurs industriels sont en voie de transformation profonde. Par exemple, en 1980, 13 entreprises réalisaient 80 % du chiffre d'affaires affiché par l'industrie du pneu. En 1990, six entreprises seulement comptaient pour 85 % de la production totale, et des experts estiment que, d'ici l'an 2000, trois ou quatre grandes firmes pourraient détenir le monopole mondial dans ce secteur, probablement sous la forme d'un cartel[39].

Afin de se mondialiser de manière efficace, les entreprises sont également tenues de tirer le maximum de profit de l'aide directe et indirecte qu'elles reçoivent de leur «propre» État. Il peut, en fait, s'agir d'un soutien fourni par plusieurs États, ces entreprises ayant des succursales dans divers pays.

En conséquence, bien qu'elles prétendent souhaiter «moins d'État et plus de marchés», les entreprises s'attendent à ce que l'État protège leurs arrières, en assurant des débouchés à leurs produits de base, de même que leurs «avants», en leur garantissant des moyens d'effectuer

---

[38] DE WOOT, Philippe, *Les Entreprises de haute technologie et l'Europe,* Economica, Paris, 1988.

[39] Voir le *Financial Times* du 15 décembre 1988.

de la recherche et de concevoir de nouveaux produits. Pour ce faire, elles ont besoin que l'État les aide de plusieurs façons :

- qu'il prenne à sa charge les «infrastructures» de base (financement de la recherche fondamentale et de la recherche à risque élevé, financement des universités et des établissements de formation professionnelle, promotion et financement de la diffusion scientifique et technique, etc.) ;
- qu'il fournisse les stimulants fiscaux nécessaires pour que les entreprises puissent investir dans la R-D industrielle et dans l'innovation technologique ;
- qu'il garantisse aux entreprises «nationales» une assise industrielle suffisamment stable en leur offrant un accès privilégié au marché intérieur, par la voie de contrats publics. Ces contrats, en particulier s'ils proviennent du secteur stratégique de la haute technologie, requièrent la participation de l'État sur deux plans : le financement et l'acquisition, au profit des entreprises, d'un certain niveau de compétences scientifiques et techniques, ainsi que la protection d'un certain secteur du marché intérieur dont peuvent dépendre les firmes «locales» ;
- qu'il fournisse le soutien et l'aide nécessaires aux entreprises locales, à la fois dans leurs activités et dans leurs efforts pour survivre sur les marchés internationaux.

Les entreprises exigent aussi de l'État que ses politiques et ses lois favorisent leur liberté d'action, surtout en ce qui concerne la réglementation du marché du travail.

En échange de ces avantages, les entreprises assurent à l'État qu'elles resteront ou deviendront compétitives sur les marchés mondiaux et que, grâce à leur capacité d'innovation accrue, elles lui garantiront l'indépendance technologique voulue et la capacité de produire davantage de richesses dont l'État a besoin pour créer des emplois et soutenir le bien-être économique et social des citoyens.

L'État a, quant à lui, un intérêt objectif, direct et immédiat à appuyer des entreprises. En effet, comme son indépendance et sa santé économique dépendent de plus en plus de la maîtrise des connaissances et des technologies de base et hautement perfectionnées, il est devenu tributaire de la capacité d'innover et de la maîtrise des marchés mondiaux par ses entreprises, en particulier les entreprises multinationales installées sur son territoire[40]. La légitimité politique et sociale de l'État, qui se fonde sur sa capacité à assurer en permanence le développement socio-économique du pays, est en jeu. Dès lors, l'État a tout intérêt à intervenir pour appuyer ses entreprises «nationales». Pour ce faire, il met en œuvre une politique technologique, industrielle et commerciale, dont la forme diffère d'un pays à l'autre mais qui, dans le cadre de l'OCDE, obéit à la même logique et est inspirée par le même principe: mobiliser les ressources «nationales» disponibles pour les mettre au service de la réussite commerciale sur les marchés «mondiaux» de ses entreprises gagnantes.

Ainsi, la plupart des États, malgré leurs différences, adoptent une stratégie semblable: en mettant en place des programmes de R-D, en participant à des projets publics à l'échelle internationale, en manipulant les marchés publics, en proposant des allégements fiscaux et des mesures d'aide au commerce, ils contribuent au transfert de ressources publiques collectives vers des sociétés privées, surtout vers les plus multinationales, de manière à permettre à celles-ci de demeurer concurrentielles dans la prétendue «lutte pour la survie» à l'échelle de la planète.

Ce faisant, tous les États espèrent réunir les conditions nécessaires à leur développement économique et, de ce fait, préserver les fondements de leur légitimité. En d'autres termes, ils ont tendance à conserver leur propre rôle social en confiant de facto aux entreprises la tâche de veiller à l'essor économique du pays.

Telle est la nature de la nouvelle alliance: les entreprises ont besoin des États «locaux» pour être en mesure de faire face à la mondialisation et de se mondialiser elles-mêmes. Les États ont à leur tour besoin des entreprises œuvrant à l'échelle mondiale pour assurer leur légitimité et leur perpétuation en tant qu'entités «locales». En

---

[40] Même s'il ne faut pas sous-estimer le rôle joué par l'ensemble des petites et moyennes entreprises.

conséquence, les entreprises acquièrent peu à peu une légitimité historique et un rôle social qui, à bien des égards, se rapprochent de ceux normalement dévolus à l'État.

On assiste ainsi, à l'échelle de la planète, à une nouvelle division des tâches entre les pouvoirs économiques et politiques.

Plus une entreprise se mondialise, plus il est probable qu'elle perde sa propre identité, étant donné l'enchevêtrement de firmes, d'alliances et de marchés dans lequel elle se trouve engagée. Au cours de ce processus, le maintien et l'expansion de son propre pouvoir décisionnel et de son aptitude à contrôler la répartition des ressources matérielles et non matérielles de la planète, auxquelles l'entreprise peut et espère avoir accès, deviennent le seul objectif véritable et réaliste qu'elle désire atteindre. Néanmoins, elle sait que si elle se limitait à ce but, elle serait tôt ou tard balayée de la carte économique par des entreprises plus solides et alliées à des États plus puissants. Il lui faut donc acquérir une légitimité sociale «historique» tant aux yeux de la société locale que de la société mondiale en émergence. Son alliance avec l'État l'autorise à proclamer que ce dernier lui a assigné le mandat de défendre et de promouvoir le bien-être économique et social de la société «locale», en lui garantissant sa propre réussite industrielle et commerciale sur la scène mondiale, revendication que ne peut nier l'État.

Par rapport à la société mondiale, l'entreprise prétend à une sorte de légitimité historique qu'elle assoit sur le fait qu'elle s'est mondialisée. Elle fait valoir ses prétentions en se présentant comme la seule organisation capable d'assurer une gestion planétaire optimale des ressources existantes.

Par conséquent, l'entreprise privatise et internationalise à ses propres fins le rôle de l'État. Elle agit ainsi à répétition dans tous les pays où elle est présente et où elle peut affirmer qu'elle fait partie intégrante de l'État, puisqu'elle constitue un facteur déterminant du bien-être économique et social. Parallèlement — en l'absence d'autorité publique mondiale — elle se trouve à privatiser de plus en plus la fonction d'organisation et d'administration de l'économie planétaire. Il y a là une forme d'étatisme et d'étatisation à laquelle bien peu d'entre nous avaient réfléchi.

La « triadisation »

La privatisation de la fonction d'organisation et de direction de l'économie à l'échelle de la planète n'est pas incompatible avec une autre caractéristique clé de l'actuel processus de mondialisation.

La mondialisation à laquelle nous assistons est tronquée. La situation présente est mieux décrite par le terme de Triadisation[41]. Celle-ci n'est pas seulement un constat géo-politique. Elle est également présente dans l'esprit des gens. D'après les Japonais, les Nord-Américains et les Européens de l'Ouest, le monde qui en vaut la peine est le leur. C'est là, a-t-on fini par se convaincre, que l'on trouve la puissance scientifique, le potentiel technologique, l'hégémonie militaire, la richesse économique, le pouvoir culturel ainsi que l'aptitude à gouverner l'économie et la société à l'échelle mondiale. On choisit de vivre en vase clos. Même les entreprises hésitent à sortir du confort de la Triade lorsque vient le temps de conduire des alliances stratégiques.

Sur les 4 200 ententes de collaboration stratégique signées par des entreprises entre 1980 et 1989, 92 % concernaient des firmes du Japon, de l'Europe de l'Ouest et de l'Amérique du Nord (voir la colonne 3 du tableau 7).

Les statistiques sur les investissements directs à l'étranger révèlent également que, au cours des dix dernières années, le Japon, les États-Unis et l'Europe de l'Ouest ont investi de plus en plus entre eux.

Cette « triadisation » reflète une situation économique internationale fondamentalement différente de celle qui a prévalu au cours des années 1960 et 1970. Jusqu'au début des années 1980, les pays en voie de développement ont eu à jouer un rôle, quoique restreint, en tant que pays d'origine et de destination. Depuis 1980-1981, les pays de la Triade ont contribué aux quatre cinquièmes de la totalité des investissements effectués dans le monde. La part des pays en voie de développement a, quant à elle, chuté de 25 % dans les années 1970 pour atteindre 19 % durant la décennie suivante, et ce, en dépit du

---

[41] La première personne à avoir utilisé le mot « Triade » est K. OHMAE dans *La Triade : émergence d'une stratégie mondiale de l'entreprise,* Flammarion, Paris, 1985.

Tableau 7 — Répartition des alliances technologiques stratégiques interentreprises, par secteur et par groupe de pays, 1980-1989

Secteur technologique	Nombres d'alliances (1)	% au sein des pays dévelop-pés (2)	% dans les pays de la Triade (3)	% entre la Triade et les PNI (4)	% entre la Triade et les PMD (5)	Autres (6)
Biotechnologie	846	99,1	94,1	0,4	0,1	0,5
Nouveaux matériaux	430	96,5	93,5	2,3	1,2	—
Informatique	199	98,0	96,0	1,5	0,5	—
Automatisation industrielle	281	96,1	95,0	2,1	1,8	—
Micro-électronique	387	95,9	95,1	3,6	—	0,5
Logiciels	346	99,1	96,2	0,6	0,3	—
Télécommunications	368	97,5	92,1	1,6	0,3	0,7
TI diverses	148	93,3	92,6	5,4	0,7	—
Automobile	205	84,9	82,9	9,8	5,4	0,9
Aviation	228	96,9	94,3	0,9	1,3	1,5
Chimie	410	87,6	80,0	3,9	7,1	—
Aliments et boissons	42	90,5	76,2	9,5	—	—
Électricité lourde	141	96,5	92,2	1,4	2,1	—
MT / instr.	95	100,0	100,0	—	—	—
Autres	66	90,9	77,3	1,5	4,5	3,0
Total	4192	95,7	91,9	2,3	1,5	0,5

Source: FREEMAN, Chris, et HAGEDOORN, John, *Globalisation of Technology*, Rapport pour le programme FAST, Commission des communautés européennes, juin 1992, p. 41.

fait que la moyenne des flux annuels de capitaux vers ces pays a presque doublé entre 1980 et 1989[42].

Une tendance identique s'observe dans le cas des deux autres composantes des mouvements de capitaux que sont les flux monétaires et financiers (nous avons expliqué, à cet égard, le processus de

[42] UNCTC, World Investment Report 1991, *op. cit.*

triadisation dans les graphiques 3 et 4) et les placements dans des portefeuilles de titres et autres types d'opérations financières. Les pays «triadiques» interagissent et s'intègrent de façon croissante entre eux.

Le largage

Si gagner constitue l'objectif à atteindre, seuls quelques-uns seront les vainqueurs. C'est la logique même de la compétitivité qui l'exige. Ces «gagnants» seront alors en famille et ils continueront à s'intégrer toujours plus les uns aux autres. D'ailleurs, l'expérience de ces dernières années montre que la nécessité de maintenir des liens de codéveloppement ou d'en établir de nouveaux entre les pays gagnants et les pays exclus décroît en importance. Une nouvelle forme de division se fait jour, qui coïncide avec l'émergence de la mondialisation. Le largage est ce processus par lequel certains pays et régions voient fondre graduellement leurs rapports avec les régions les plus développées de la planète. Au lieu de participer activement au processus d'interdépendance et d'intégration croissant qui gouverne le nouveau «monde global» en construction, ces régions sont laissées de côté. Elles sont déconnectées. Ce largage touche presque tous les pays africains, une grande partie de l'Amérique latine et de l'Asie (hormis les pays du Sud-Est asiatique) ainsi que les pays de l'ex-Union soviétique. Même certains des pays d'Europe de l'Est sont actuellement menacés de largage.

Les données disponibles parlent d'elles-mêmes. En 1980, la part des 102 pays les plus pauvres de la terre ne représentait que 7,9 % de l'ensemble des exportations de produits manufacturés dans le monde, et 9 % des importations. Dix années plus tard seulement, ces chiffres tombaient à 1,4 % et à 4,9 % respectivement (voir le tableau 8). Inversement, la part des trois régions de la Triade s'est accrue de 54,8 % à 60 % pour ce qui est des exportations, et elle est passée de 59,5 % à 63,8 % dans le cas des importations.

Tableau 8 — Part relative du marché mondial des produits manufacturés

	Exportations		Importations	
	1980	1990	1980	1990
Pays industrialisés (24)	62,9	72,4	67,9	72,1
dont ceux du G-7	45,2	51,8	48,2	51,9
• Triade	54,8	64,0	59,5	63,8
• autres pays industrialisés	8,1	8,5	8,4	8,3
Pays en voie de développement (418)	37,1	27,6	32,1	27,9
dont les groupes «étoiles» (11 pays)	7,3	14,6	8,8	13,5
• groupe 4 : 20 pays	7,8			
• groupe 3 : 7 pays				
• groupe 2 : 8 pays				
• groupe 1 : les plus pauvres (102 pays)	7,9	1,4	9,0	4,9
Total	100,0	100,0	100,0	100,0

Source : MULDUR, Ugur, *Les formes et les indicateurs de la globalisation*, FAST, Commission des communautés européennes, Bruxelles, 1993, 220 p.

D'autres données viennent renforcer un tel concept. Ainsi, la valeur totale des échanges intracontinentaux en 1970, au sein de chacune des trois régions (l'Amérique du Nord, l'Europe de l'Ouest et l'Asie-Pacifique), représentait alors 39,5 % du commerce mondial des biens manufacturés. Si l'on ajoute à cela les échanges intercontinentaux entre elles (21,4 %), ces régions avaient donc effectué, en 1970, 60,9 % de tout le commerce mondial (voir le graphique 10).

En 1990, la valeur totale des échanges intracontinentaux au sein de chaque région s'établissait à 48,7 %, et les échanges intercontinentaux passaient à 24,9 %. Les échanges combinés des trois régions équivalent maintenant à 73,6 % du commerce mondial.

Il vaut la peine de souligner le taux élevé de croissance des échanges intracontinentaux en Asie-Pacifique et en Europe de l'Ouest, qui a grimpé de 5,7 % à 10,2 % et de 27,1 % à 33,4 % respectivement. Par contraste, la valeur des échanges intracontinentaux en Afrique et au Moyen-Orient a chuté, toujours entre 1970 et 1990, de 2,2 % du

Graphique 10 — Part des échanges régionaux de produits manufacturés (en % du commerce mondial total) dans le commerce mondial, 1970 et 1990

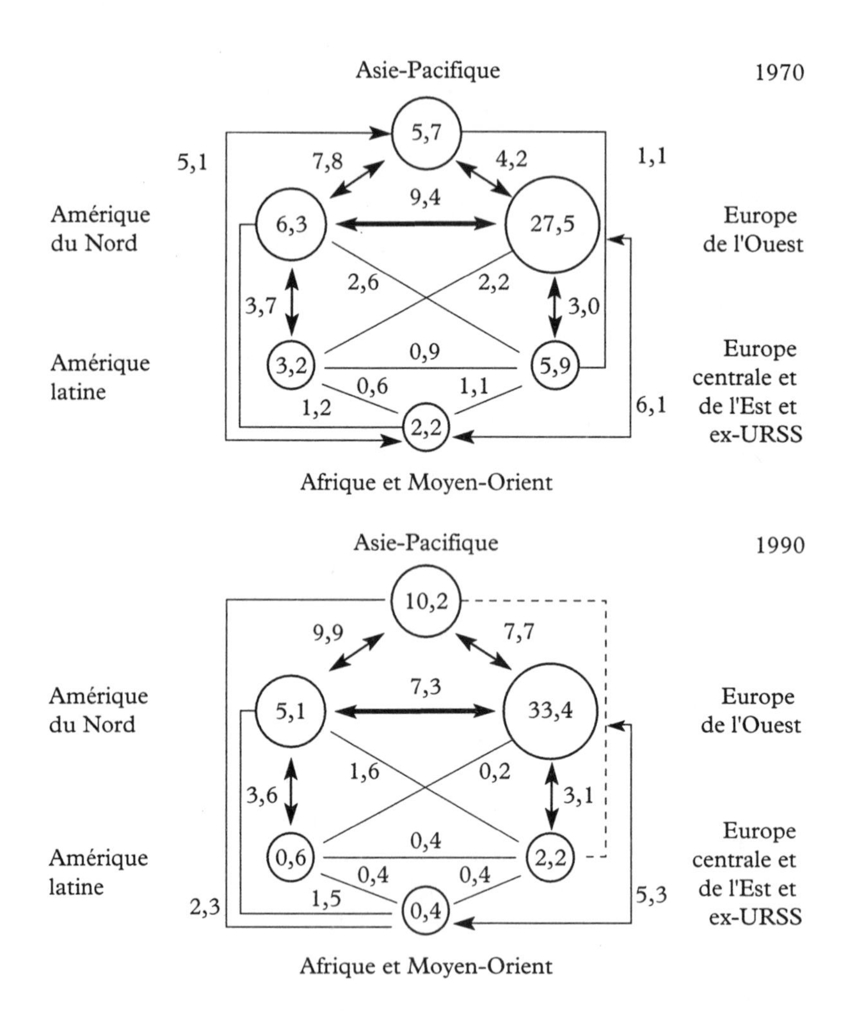

Source : MULDUR, Ugur, *Les formes et les indicateurs de la globalisation,* FAST, Commission des communautés européennes, Bruxelles, 1993, 220 p.

commerce mondial à 0,4 % ; en Amérique latine, la chute a été de 3,2 % à 0,6 %, et en Europe centrale et de l'Est, de 5,9 % à 2,2 %. En ce qui concerne le pourcentage des échanges intercontinentaux de l'Afrique et du Moyen-Orient dans le commerce mondial, il a chuté de 14,1 %, en 1970, à 9,9 %, en 1990, celui de l'Amérique latine, de 7,8 % à 6,1 %, et celui des pays de l'ancien bloc communiste, de 7,3 % à 4,1 %.

Autrement dit, l'économie mondiale s'est caractérisée, au cours des 20 dernières années, par une réduction graduelle des échanges entre les pays les plus riches de l'Amérique du Nord, de l'Europe de l'Ouest et de l'Asie-Pacifique et le reste du monde, dont l'Afrique en particulier. Si cette tendance se maintient pendant encore 20 ans, la part de l'Afrique, du Moyen-Orient, de l'Amérique latine, de la Russie ainsi que de l'Europe centrale et de l'Est, qui s'élevait encore à 39,2 % du commerce mondial en 1970 et à 26,4 % en 1990, ne sera plus que de 5 % en l'an 2020.

Voilà en quoi consiste le largage.

CHAPITRE 3

La compétitivité peut-elle gouverner la planète?

Le tableau qui se dégage des chapitres précédents est assez clair. Divers processus ont été amorcés à l'échelle planétaire, issus d'idées neuves, de capacités scientifiques et technologiques accrues et d'aspirations nouvelles. Il faut en tenir compte et bâtir sur ces nouveaux acquis.

La carte mondiale de l'économie et de la société s'est modifiée. Les principes, les règles et les actions centrés sur l'État-nation et sur l'économie nationale, et axés sur le clivage idéologique qui séparait l'Est de l'Ouest, se sont évanouis ou ont subi de profondes transformations. De nouveaux acteurs sont apparus sur la scène des réseaux mondiaux formés par les multinationales et sur celle, plus nouvelle encore, de la société civile globale.

Un choix critique

Des désordres nouveaux aussi ont surgi en même temps que s'ouvraient les perspectives d'un nouvel «ordre» mondial. Nos sociétés sont à la recherche des principes et des règles qui devraient régir la nouvelle société globale; à cet égard, de nombreuses solutions ont été proposées. Le choix se pose entre trois options fondamentales pour l'avenir: la concurrence pour la survie, la paix triadique et un régime de gouverne mondiale.

Scénarios pour les 20 prochaines années

Ces trois options découlent d'une analyse approfondie des scénarios possibles et envisageables pour les 20 années à venir. Ces scénarios se fondent sur dix hypothèses principales. Celles-ci résument l'ensemble des enjeux dont il a été question jusqu'ici. Elles sont au cœur de notre réflexion. Les voici:

1. Les nouveaux processus de mondialisation de la recherche, de la technologie et de l'économie iront en s'intensifiant. La «triadisation»

demeurera la forme de mondialisation économique prédominante dans un contexte de «régionalisation» accrue à l'échelle des continents. Les guerres industrielles aussi bien que les accords de coopération marqueront le processus instable de triadisation.

2. La population mondiale avoisinera les huit milliards d'habitants vers l'an 2020. Celle de l'Europe occidentale sera de 320 à 330 millions de personnes alors que l'Asie en comptera 5,2 milliards et l'Afrique, plus d'un milliard, dont la très grande majorité sera vraisemblablement dans un état de très grande pauvreté.

3. Si les tendances actuelles se maintiennent, le développement mondial de la science et de la technologie sera, dans une large mesure, conçu par les régions les plus développées de la planète qui le guideront selon leurs intérêts. Les secteurs prioritaires seront définis en fonction de leur apport à la compétitivité des entreprises «locales». Les politiques relatives à la R-D continueront d'être une composante essentielle de toute «politique industrielle» dans un cadre de privatisation, de déréglementation et de libéralisation généralisées des marchés.

4. En conséquence, on assistera à une division de plus en plus marquée entre les villes, les régions, les pays et les groupes sociaux intégrés au monde triadique ou en voie de l'être, et les villes, les régions, les pays et les groupes sociaux appartenant à l'univers de la pauvreté et du sous-développement, et qui se trouveront de plus en plus marginalisés et exclus.

5. Une nouvelle «révolution» techno-organisationnelle, reposant notamment sur des innovations telles que la «réorganisation» et l'«organisation concomitante», remodèlera l'ensemble du secteur manufacturier et des services ainsi que les types d'organisation interne des entreprises. L'automatisation et les technologies d'informations et de communication demeureront le moteur principal de ces changements et de l'augmentation de la productivité. L'efficacité et la productivité accrues dans le domaine de l'énergie et des matériaux amplifieront la portée et les effets

de ces changements pour l'ensemble de l'économie et pour celle des pays déjà développés. Les répercussions sur les pays moins développés et les plus récents seront globalement négatives, même si en théorie elles peuvent s'avérer fort positives à long terme.

Les processus, les produits et les services découlant des innovations biotechnologiques seront de plus en plus diffusés au cours des 10 prochaines années. La «production au plus juste» est perçue, du moins pour les 10 à 15 années à venir, comme le modèle de production manufacturière à adopter dans les pays et les régions à haut niveau technologique. Cela ne veut pas dire que la production en série de type fordiste ou néo-fordiste disparaîtra, ni qu'il n'existera pas de solution de rechange à la «production au plus juste» et à la spécialisation flexible. Les systèmes de production anthropocentriques et la «réingénierie» parallèle constituent déjà de telles solutions.

6. Les multinationales connaîtront des changements organisationnels de taille. À l'interne, elles délaisseront le modèle d'organisation axé sur l'entreprise unique de «production en série», pour se métamorphoser peu à peu en réseaux d'entités de production autonomes, interdépendantes, spécialisées et souples. À l'externe, elles diminueront l'importance de leur organisation et de leur gestion territoriales dans le processus décisionnel, et se transformeront en réseaux quasi mondiaux imbriqués dans un maillage de secteurs et de pays, où les décisions seront prises en fonction des grands domaines d'activité et dans des réseaux de réseaux.

   Les petites et les moyennes entreprises continueront d'être la texture moléculaire de l'économie au sein des pays évolués sur le plan technologique. Le fossé s'élargira entre les PME novatrices et pleinement intégrées, de différentes façons, aux nombreux réseaux planétaires et les PME «traditionnelles», davantage axées sur les marchés locaux et régionaux.

7. Si des mesures efficaces ne sont pas prises, les processus décrits plus haut auront comme conséquence principale de provoquer une nouvelle vague de chômage généralisé aux États-Unis et en Europe

de l'Ouest ainsi que, dans une moindre mesure, au Japon et dans les quatre «petits dragons» du Sud-Est asiatique. Selon de récentes études, on prévoit que de 20 à 25 millions d'emplois environ seront supprimés aux États-Unis au cours des 20 prochaines années. Cette nouvelle vague subira l'influence de l'arrivée massive d'immigrants dans les pays de la Triade. En Europe de l'Ouest, par exemple, ils proviendront de l'Europe centrale, de l'Europe de l'Est, de la Russie, de l'Afrique du Nord et de l'Afrique centrale.

8. Les pressions en faveur de la prise en compte systématique des aspects environnementaux par l'industrie, l'agriculture et l'économie resteront une source majeure d'innovation. On exigera, on recherchera et on imposera des procédés, des produits et des services non dommageables à l'environnement. Un nouveau genre de taxe (l'écotaxe) enrichira encore un peu plus les pays dotés d'une technologie de pointe en entraînant la modification de leur système fiscal. Cette taxe ne sera toutefois pas aussi lourde et aussi contraignante que le craignent bien des industriels ou que le souhaitent les environnementalistes. Le rythme auquel elle sera instaurée de même que la forme qu'elle prendra seront soumis à l'impératif de la compétitivité. Cet impératif, que les pays feront valoir comme moyen de réduire le chômage, servira également d'argument à opposer à la transformation rapide et intensive de l'industrie et de l'agriculture en secteurs d'activité dits «verts» ou écologiques.

9. Les villes et les villes-régions, plus que les territoires nationaux, seront désormais les espaces choisis pour la réindustrialisation et la réorganisation de l'économie mondialisante. Les dirigeants des villes et des villes-régions joueront un rôle de plus en plus important dans la reconstruction des sociétés urbaines.

10. Enfin, les autorités «nationales» et les institutions intergouvernementales internationales seront constamment ballottées quant au choix à faire entre une économie entièrement dominée par les marchés et certaines formes mesurées d'économie sociale de

marché alliées à des politiques protectionnistes modérées. Nombreux seront les pouvoirs publics qui voudront plutôt croire que leur tâche fondamentale sur le plan économique et industriel consistera à favoriser et à augmenter la compétitivité des entreprises du pays.

Encadré 3

Hypothèses de base

1. Triadisation de l'économie mondiale dans le cadre de nouveaux modes de mondialisation.
2. Vers l'an 2020, le déséquilibre entre les populations des divers coins de la planète sera de plus en plus marqué.
3. Les intérêts des pays développés continueront à dicter les politiques de développement scientifique et technologique mondial, dans un contexte de privatisation, de déréglementation et de libéralisation croissantes de l'économie.
4. La division du monde en deux blocs sera encore plus prononcée.
5. Une nouvelle révolution techno-organisationnelle façonnera le secteur manufacturier et l'industrie dans son ensemble.
6. Les grandes entreprises multinationales feront partie de réseaux mondiaux; les PME feront l'objet de vastes réorganisations et seront tributaires des marchés laissés «libres» et définis par les grands réseaux mondiaux.
7. Si les tendances actuelles se maintiennent, une nouvelle vague de chômage massif déferlera dans les régions de la Triade.
8. Le «verdissement» du secteur industriel s'intensifiera, mais il sera soumis aux délais et aux contraintes que fixera l'impératif de la compétitivité.
9. Les villes et les villes-régions deviendront le lieu par excellence de la réorganisation de l'économie en voie de mondialisation.
10. Les stratégies adoptées par les pouvoirs publics nationaux oscilleront entre une économie de marché entièrement «libre» et une économie sociale de marché modérée, chapeautée par un protectionnisme sans excès.

On peut tracer, de ce qui précède, une matrice à deux axes le long desquels les futures configurations de l'économie mondiale pourraient se répartir.

Le premier axe, horizontal, va du point localisme/fragmentation au point mondialisation/intégration, notions dont nous avons déjà parlé;

le second axe, vertical, va d'un système de gouverne mondiale reposant essentiellement sur les mécanismes du marché et de la compétitivité à un système de gouverne[1] fondé sur des formes d'économie mixte à caractère coopératif, ce qui n'exclut évidemment pas la concurrence entre les firmes ni l'émulation entre les individus (voir le graphique 11).

Il s'agit, on l'aura compris, de types-idéaux dont l'utilité première est de mettre en évidence les enjeux qui s'offrent à nous.

Graphique 11 — Scénarios de mondialisation; axes éventuels des configurations du monde global

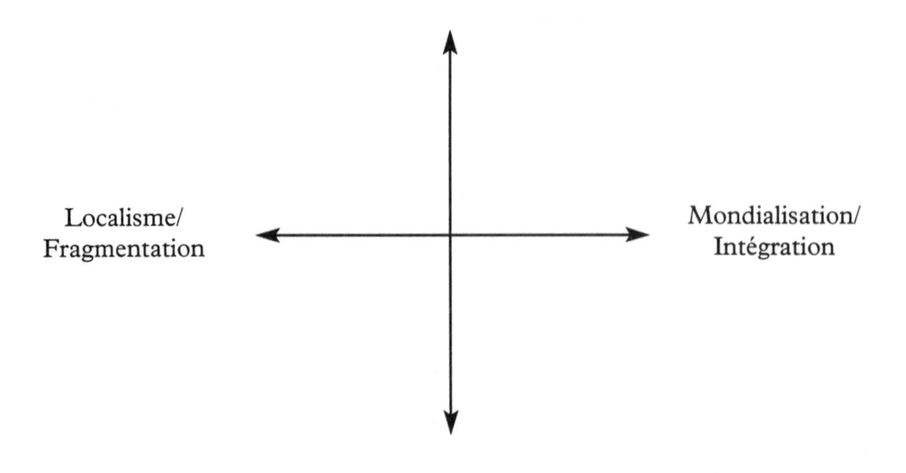

[1] Nous utilisons ici et dans les pages qui suivent, pour rendre le concept difficilement traduisible de «*governance*», les termes «gouverne» et «gouvernement» dans leur sens le plus large (soit un mode de régulation, de direction et de gestion d'un ensemble organisé), et non selon leur stricte définition étatique. Autrement dit, nous ne songeons pas à une simple extrapolation à l'échelle mondiale des formes de gouvernement d'un État-nation.

Trois solutions: concurrence pour la survie, pax triadica ou gouverne mondiale

Si c'était plutôt un monde global dominé par la logique de la fragmentation (voir le graphique 12) qui voyait le jour, trois scénarios pourraient être possibles.

Scénario 1 (S1)

Ce scénario est le plus extrême. Il peut être appelé le scénario de l'apartheid, en ce que les villes, les régions et les pays les plus avancés du globe sur le plan techno-scientifique évolueraient de façon telle qu'ils seraient tout simplement appelés à rompre leurs liens avec le reste du monde. Ils auront certes «gagné» la guerre de la compétitivité, mais ils seront alors seuls.

Graphique 12 — Six scénarios de mondialisation: une approche statique

	Gouverne en fonction des mécanismes du **marché** et de la **compétitivité**	Gouverne en fonction des mécanismes de **coopération** et de la **concertation**
Logique prépondérante de la **fragmentation**	S 2 Scénario de la survie	
	S 1 Scénario de l'apartheid	S 3 Scénario de la *pax triadica*
Logique prépondérante de **l'intégration**	S 6 Scénario du «Gattisme» universel	S 4 Scénario d'un monde global intégré et viable
	S 5 Scénario d'un système mondial régionalisé	

Ce scénario s'appuie sur le largage progressif de la plupart des sociétés en voie de développement, facilité par le rôle de plus en plus important que joueront les savoirs de haut niveau et la technologie de pointe dans la production des biens et des services qui seront à la base de la nouvelle organisation des pays développés. Le monde développé obéira à ses propres schémas d'expansion et aura des rapports de plus en plus ténus avec les villes, les régions et les pays qui connaîtront la pauvreté économique et la misère sociale, dont les infrastructures seront désuètes et inadéquates, et où les conflits se multiplieront.

D'après ce scénario, des consensus s'établiront entre le monde industriel, les gouvernements et les syndicats des zones développées, les trois groupes concluant une sorte de pacte en faveur de la compétitivité pour la survie. La configuration mondiale s'organisera à l'intérieur du système triadique de compétitivité et de guerres économiques.

Les mécanismes favorisant la compétitivité, mis en place au niveau national et continental (par exemple à l'échelle de l'Union européenne ou de l'Amérique du Nord), seront guidés par la rationalisation continuelle des coûts de production. L'entrée en scène de nouvelles formes d'organisation du travail au sein d'une minorité d'usines et d'industries confirmera l'engagement des économies prédominantes en faveur d'une croissance passant par la productivité et par une main-d'œuvre hautement qualifiée. Les solutions apportées à l'organisation du travail restent liées étroitement et principalement à la compression des coûts. Ainsi, le recrutement de la main-d'œuvre à l'étranger, la «réorganisation» du travail et la rationalisation des activités des entreprises constitueront la stratégie privilégiée en vue d'augmenter la compétitivité. La création d'emplois et le retour au plein emploi ne seront pas des objectifs prioritaires.

Dans le précédent chapitre, nous décrivions une forme élémentaire de ce processus de largage, illustré par des statistiques couvrant la période de 1970 à 1990. Cela revient à dire que les éléments du scénario 1 sont déjà en place. Cependant, ce scénario de l'apartheid global demeure improbable. Il est, en effet, assez difficile d'admettre qu'une telle ségrégation puisse s'étendre à l'échelle de la planète dans un court laps de temps. En outre, ce largage paraît impossible car si le capital reste immobile, les gens, eux, se déplacent, et de plus en plus. Pour l'instant le libre-échange des personnes et du capital humain n'existe pas, mais pourra-t-on encore longtemps maintenir un mur autour des zones développées? L'exemple de l'Afrique du Sud devrait suffire à nous convaincre que, à moyen terme, l'apartheid est un système intenable précisément parce qu'il est un système immoral.

À plus longue échéance, ce scénario aura en arrière-plan un mur culturel qui s'érigera entre le monde intégré et celui des exclus. Les deux mondes cohabiteront, mais avec un minimum d'interactions. Les flux migratoires seront énergiquement contrôlés et limités. Les modes traditionnels de fonctionnement des organismes internationaux, basés sur des rapports intergouvernementaux représentatifs (un pays, un vote), tomberont en désuétude. Un «directoire» mondial, structuré à la manière d'un conseil d'administration, veillera à ce qu'il ne se produise pas d'interaction dangereuse entre les deux mondes. L'«ordre» mondial des pays riches et développés prévaudra.

Scénario 2 (S2)

Ce deuxième scénario décrit une fragmentation planétaire qui peut se produire dans le contexte d'une économie de libre marché où la privatisation, la déréglementation et la libéralisation sont quasi généralisées. Nous l'appellerons le scénario de la survie. Chaque entreprise, ville, région, pays et groupe social veille à y défendre et à y promouvoir ses atouts et sa place sur les marchés mondiaux.

L'élément moteur est ici une autosurvie qui passe avant tout par la défaite des autres. Les perdants n'ont pas leur place, et vaincre devient le principe de base déterminant. L'impératif de la compétitivité régit le comportement et les stratégies, sur les plans individuel et collectif. L'innovation technologique conçue en vue d'accroître la productivité de la main-d'œuvre est perçue comme l'arme la plus efficace pour éliminer les concurrents.

La course à la technologie et les guerres technologiques créeront une grande instabilité sans pour autant provoquer des déstabilisations extrêmes, du moins pendant les 20 années à venir. Un rôle de régulateur sera tenu, d'une part, par les organismes ou les accords internationaux comme le FMI ou la Banque mondiale et, d'autre part, par les pouvoirs publics nationaux. Ces derniers, en fait, essayeront, dans le cadre de la nouvelle alliance entre entreprise et État décrite au chapitre 2, de créer les conditions favorables à l'accroissement de la compétitivité de leurs propres entreprises. Tous les pays agissant de même, le procédé entraînera une certaine autorégulation. C'est ce qui le distingue avant tout du scénario précédent.

Le scénario 2 est lui aussi déjà en place. La probabilité est même très élevée qu'il domine la scène au cours des 20 prochaines années.

Scénario 3 (S3)

Celui-ci prend place au sein d'un monde fragmenté où règne un «ordre économique mondial» relativement stable, contrôlé par les trois régions les plus développées et les plus puissantes de la terre. Nous le désignerons sous le nom de *pax triadica.*

La *pax triadic*a signifie que le nouvel «ordre» mondial qui pourrait s'installer au cours des 20 prochaines années reposera sur un consensus explicite entre les régions de la Triade, consensus dicté par leurs intérêts convergents pour la direction commune de l'économie et de la société globales, afin que règnent la stabilité politique et le taux de développement socio-économique le plus élevé possible.

La création du marché unique et la révision du Traité de Maastricht auront renforcé la Communauté européenne en tant que première puissance commerciale du monde. Il est possible aussi que cette dernière devienne la première puissance monétaire vers la fin de ce siècle, ainsi que l'entité continentale politique la plus solide en 2005-2010. L'OTAN ne disparaîtra cependant pas au cours des 15 à 20 prochaines années, car aucun parlement ou gouvernement européen ne voudra défendre l'idée que l'Europe investisse massivement dans des infrastructures de défense afin d'asseoir, entre 2010 et 2020, sa puissance militaire à l'échelle de la planète.

Cette *pax triadica* ne sera le choix explicite de personne, mais semblera plutôt être une évolution «logique» et inévitable des choses. «Logique», car tous s'accordent pour dire que, après le démantèlement de l'URSS, le monde a besoin d'un «ordre» stable et de relations de pouvoir bien définies. Cette nécessité ne pourra qu'être ressentie avec de plus en plus de vigueur, compte tenu des piètres résultats obtenus par la coopération Nord-Sud, de l'explosion démographique et des conflits ethniques et religieux qui s'ensuivent ainsi que des risques inhérents aux migrations massives. L'insécurité que font naître les problèmes environnementaux, surtout ceux qui sont reliés aux anciennes centrales nucléaires du bloc communiste, ne fera qu'aggraver les choses.

La *pax triadica* sera jugée comme la meilleure solution, le moyen par excellence de satisfaire les intérêts de la population mondiale dans son ensemble. On présume que plus les États membres de la Triade s'enrichiront, se développeront et coopéreront entre eux, plus les autres nations seront à même d'en récolter les fruits et plus la stabilité de la planète y gagnera. Les échanges commerciaux de la paisible Triade rendront chacun plus riche, du moins c'est ce qu'on aimera se rappeler.

La modernité scientifique et technologique accueillera avec joie la *pax triadica.* Contrairement à l'«ordre» mondial de la guerre froide, reposant sur «l'équilibre de la terreur», la *pax triadica* aura comme assise la réduction de la course aux armements et la mobilisation accrue des capacités scientifiques et technologiques à des fins civiles. De plus, la *pax triadica* reposera sur le maintien et l'expansion de la compétitivité économique. Les guerres commerciales continueront d'imprégner les rapports entre les trois régions. Le Japon et le Sud-Est asiatique, l'Europe occidentale et les États-Unis cohabiteront en partageant des intérêts «supérieurs», et dans l'esprit d'interdépendance qui déjà unit solidement ces trois superpuissances. En ce sens, la *pax triadica* aura tendance à renforcer les processus d'intégration entre les membres de la Triade.

À l'instar de la *pax romana,* la *pax triadica* sous-entendra une scission entre les citoyens (ceux qui sont dignes de faire partie du monde intégré) et les barbares (les exclus).

Bien des composantes de ce scénario existent déjà et permettent d'imaginer l'allure du scénario. Le G-7, par exemple, constitue l'un des instruments de cette volonté d'instaurer la stabilité économique et l'«ordre» à l'échelle planétaire. Cela est vrai également des liens de coopération qui se multiplient entre les multinationales.

*
* *

Si c'était plutôt un monde global dominé par des procédés, des mécanismes et des institutions favorisant l'intégration qui voyait le jour, trois autres scénarios, également plausibles, seraient alors concevables.

Scénario 4 (S4)

Il s'agit, comme le scénario 1, d'un scénario extrême. C'est le scénario de l'intégration mondiale viable, où l'intérêt planétaire, la solidarité humaine, le partage de la richesse, la responsabilité mondiale, le dialogue entre les cultures, le respect des droits humains et la tolérance universelle se traduisent graduellement dans la vie de tous les jours, à l'échelle de l'entreprise, de la ville, de la nation, du continent et de la planète.

Ce scénario présume que les problèmes d'ordre mondial sont si vastes que la seule manière d'y faire face est de concevoir des règles et des stratégies globales et d'instituer les mécanismes, procédures et institutions qui encourageront l'instauration d'un système de gouverne efficace. L'impératif de la compétitivité cède ici le pas à celui d'une économie de type coopératif, responsable sur les plans social et environnemental, et la concertation devient la règle du jeu. La synergie qui s'opérera entre les savoir-faire, les connaissances et les solutions locales, dans les divers coins de la terre, par le biais de projets de codéveloppement technologique, économique et social, constitue l'un des piliers sur lequel s'appuie ce scénario.

La probabilité que se concrétise ce scénario au cours des 20 années à venir est extrêmement faible. Cependant, certains mécanismes sans lesquels le scénario 4 ne saurait se réaliser existent déjà. Tel est le cas, par exemple, de la Conférence des Nations Unies sur l'environnement et le développement, tenue à Rio en juin 1992, qui a constitué la première tentative de négociation, à l'échelle mondiale, des conditions de production et de distribution de la richesse de la planète. Ce sommet a également donné lieu au Programme 21 qui, en dépit de ses nombreuses restrictions, constitue un « plan de développement de l'économie mondiale dans l'intérêt réciproque de tous les pays », plan qui, s'il est mis en œuvre, donnera naissance à une nouvelle génération d'institutions chargées d'orienter et de «gouverner» le monde.

Scénario 5 (S5)

Ce scénario met en scène l'institutionnalisation d'une économie mondiale intégrée, reposant sur deux paliers d'intégration. Au premier se trouvent des entités régionales telles que la Communauté européenne, le Grand Maghreb, l'Accord de libre-échange nord-américain (l'ALENA), le Mercosur (en Amérique latine), la nouvelle CEI (en ex-Union soviétique), la zone de libre-échange asiatique (ZLEA), etc. Au second palier se joue l'intégration au niveau de la planète, qui est fonction de la coopération entre les différentes entités régionales déjà intégrées. Ce scénario implique une réorganisation profonde des organisations internationales actuelles telles que celles du FMI, de la Banque mondiale et du GATT. La même règle s'applique à l'Organisation des Nations Unies et à toute la famille d'organismes qu'elle chapeaute comme l'UNESCO, la FAO et l'OMS.

Le monde a pris déjà la direction de l'intégration régionale, bien qu'on ne puisse garantir que ce modèle se répandra de façon significative jusqu'en Afrique, en Asie centrale et dans le sous-continent indien. Il est évident que, pour l'instant, c'est en Europe de l'Ouest que l'intégration régionale économique et politique est la plus avancée. Elle commence à prendre forme sur le plan économique en Amérique du Nord, et elle fait ses premiers pas timides sur le plan commercial en Asie de l'Est et du Sud-Est.

Scénario 6 (S6)

C'est le scénario où l'institutionnalisation d'une économie mondiale prend la forme d'un «marché mondial intégré unique», réplique, à l'échelle planétaire, du Marché unique européen établi par les pays membres de la Communauté européenne le 1er janvier 1993. C'est le «scénario du Gattisme universel», en ce sens qu'il est fondé sur l'application dans tous les pays des principes entérinés par l'Accord général sur les tarifs douaniers et le commerce (le GATT) et, éventuellement, par la nouvelle Organisation mondiale du commerce qui lui a succédé à la suite de l'Uruguay Round.

Tout comme le «Marché unique européen», le «Marché unique mondial» sous-entendra la libre circulation, à l'échelle du globe, des biens, des services, du capital et des personnes. Certes, un tel marché exigera qu'un nouveau «contrat» mondial intervienne parmi les signataires du GATT et de l'Organisation mondiale du commerce. Il supposera que des modifications radicales soient apportées à bien des politiques, notamment celles qui concernent les banques, l'assurance, la réglementation monétaire et fiscale, l'agriculture et la sécurité sociale. Un nombre considérable d'accords commerciaux touchant plusieurs pays ou secteurs devront disparaître, et il faudra concevoir et mettre en œuvre à leur place des réglementations et des institutions solides et fiables.

Ce scénario émane de processus qui ont présentement cours et reflète, d'une façon cohérente, la philosophie qui sous-tend le GATT de même que les tendances actuelles vers la déréglementation et la libéralisation à l'échelle de la planète. Les difficultés qu'a rencontrées en 1993 l'Uruguay Round dans le cadre des règles du GATT constituent, cependant, un exemple éloquent de la lutte qui oppose les défenseurs de l'application rigoureuse de l'Accord, en ce qui concerne notamment l'agriculture et le secteur des services, à ceux qui estiment que le «scénario du GATT» est inacceptable. Là encore, le refus de ces derniers s'inspire principalement de leur désir de défendre, eux aussi, leurs intérêts et leurs positions économiques.

C'est dire que ce scénario, qui semble par ailleurs vraisemblable, risque peu d'être réalisé au cours des 20 prochaines années.

*

* *

Finalement, cette description de ces six scénarios ne nous dit pas grand-chose de l'évolution possible de l'économie et de la société globales, ni des interactions et des contre-répercussions entre les logiques, les forces et les acteurs des six scénarios. Tous sont relativement cohérents, certains sont plus probables et réalisables que d'autres; toutefois, peut-on y déceler un ordre, une logique interne qui permettrait de s'y retrouver?

Le graphique 13 propose une vision plus dynamique de ces divers scénarios.

Graphique 13 — Une approche dynamique des scénarios de la mondialisation

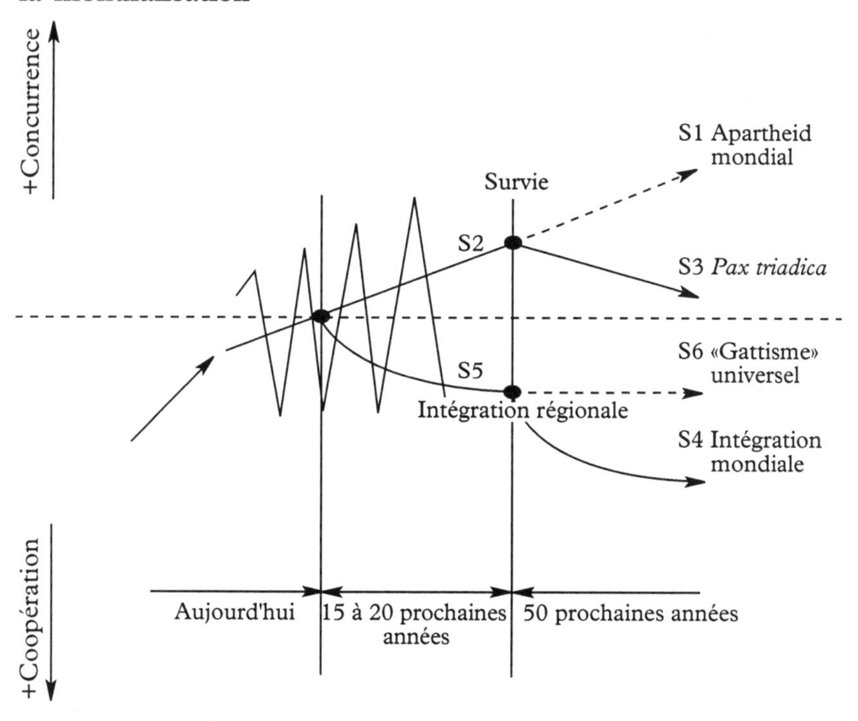

Source: Groupe de Lisbonne.

Les processus de réorganisation auxquels nous assistons donnent à penser que le scénario de la survie (S2) et celui de l'intégration régionale (S5) sont les plus plausibles pour les 20 prochaines années. Le dernier est, à notre avis, préférable au premier. Si c'est le scénario de la survie qui l'emporte, ce qui est très probable dans la mesure où les tendances et les politiques actuelles se maintiennent, la question est de savoir vers quel autre scénario il nous mènera tôt ou tard: vers le scénario 1 (celui de l'apartheid mondial), ou le scénario 3 (la *pax triadica*). Par contre, si c'est le scénario 5 qui s'impose, débouchera-t-il sur un gattisme universel (S6) ou constituera-t-il au contraire les premiers pas vers une véritable intégration à l'échelle planétaire (S4) ?

Si l'on effectue une analyse minutieuse de chacune des hypothèses, compte tenu des tendances actuelles, il semble bien que ce soit le scénario de la survie, et plus particulièrement celui de la *pax triadica* (S3) qui prendra le pas sur les autres d'ici 10 à 15 ans. Pour l'heure, le choix qui prédomine et qui risque de fixer les règles du «monde global» dans les années à venir est celui de la compétitivité, à moins évidemment que nous puissions dès maintenant envisager un septième scénario.

La solution prédominante : la compétitivité

La compétitivité est le credo de l'heure. On estime que son maintien et son accroissement, au sein des entreprises et dans l'économie «nationale», constituent la meilleure réponse à nos problèmes. Elle est inscrite au cœur même du scénario le plus probable.

La valeur de la concurrence

La concurrence (qui, en principe, se distingue de la «lutte pour la survie») est une dimension essentielle de la vie sociale organisée.

Elle est un phénomène normal de l'économie et une source importante de production de la richesse. La concurrence en vue d'exploiter les ressources naturelles et de créer des ressources artificielles pour satisfaire, à faible coût et avec une qualité majorée, les besoins individuels et collectifs a largement contribué au bien-être de nos sociétés. La concurrence, l'une des forces motrices de l'innovation technologique et de la croissance de la productivité, a alimenté de nouvelles aspirations humaines et rendu possibles des réalisations jusque-là impensables[2].

Selon la théorie économique classique, la concurrence est en

---

[2] On trouve dans les livres de Michael Porter une analyse intéressante et exhaustive de la valeur de la concurrence économique et des phénomènes connexes (configurations du marché, stratégies des entreprises, rôle de l'État, dimension internationale, etc.). Voir en particulier PORTER, M., *Choix stratégiques et concurrence : techniques d'analyse des secteurs et de la concurrence dans l'industrie*, Economica, Paris, 1990, et *L'Avantage concurrentiel des nations*, Interéditions, Paris, 1993.

mesure d'assurer l'exploitation optimale des ressources au profit de tous. Bien entendu, la réalité n'a jamais correspondu à la théorie. La concurrence a néanmoins joué un rôle fondamental dans l'expansion des économies et le progrès socio-économique.

Une saine compétition (ou émulation) à l'école, au travail, dans la vie culturelle et dans la recherche aide un système à progresser, à évoluer et à demeurer novateur. La concurrence mise au service de la créativité, qui encourage l'excellence plutôt que l'ordinaire, a modelé l'architecture de nos villes et a inspiré aussi bien les chefs-d'œuvre de la Renaissance européenne que la légende du Sumo. Elle insuffle également de la magie aux courses de Windsor et au concours hippique national de Mongolie.

Par-dessus tout, la concurrence libre et ouverte au sein de la vie politique est à la base du développement et de l'expansion de la démocratie, l'une des plus grandes conquêtes de l'histoire de l'humanité. Pour un temps, l'autocratie peut sembler la forme de pouvoir la plus efficace, mais aucun pays ne peut survivre dans un système où la libre concurrence politique ou autre n'existe pas. Celle-ci est nécessaire à l'évolution et à l'innovation.

La force intime de la concurrence, qui explique sa valeur élevée aux yeux de la société, tient au fait qu'elle signifie «rechercher ensemble» (en latin, *cum petere*). Trouver à plusieurs la meilleure solution à un problème, au bon endroit et au moment opportun. Elle veut aussi dire que le choix ne se limite pas à un seul. Lors d'une compétition internationale, par exemple, qu'il s'agisse de cinéma ou de musique, des prix sont décernés à plusieurs gagnants.

Avec le temps, la concurrence s'est rapprochée de la notion de «lutte entre rivaux». On en a un exemple typique dans la campagne publicitaire de la dernière Peugeot 306, qui présente ce modèle comme «La rivale».

La concurrence s'est transformée en procédé destiné à mettre en déroute les concurrents, par la vente de produits et de services aux conditions les plus favorables possibles. On se remémorera, à ce sujet, la réponse d'un ancien directeur de la division R-D de Shell International à qui l'on demandait pourquoi son entreprise investissait dans la recherche et le développement: «Pour abattre nos concurrents», avait-il expliqué. On est loin ici d'une concurrence qui appelle au dépassement de soi.

L'idéologie de la compétitivité: de moyen, la concurrence devient fin

Une nouvelle «ère de la concurrence» s'est ouverte il y a 20 ou 30 ans à la faveur de la mondialisation. Comme nous l'avons vu, la mondialisation a modifié le fondement des activités économiques. Transformant les économies axées sur le territoire national en économies ouvertes sur l'espace global, elle fait en sorte que la compétition à l'échelle planétaire amplifie les conséquences de la lutte pour la conquête des marchés et débouche sur des phénomènes de domination mondiale. En effet, les économies nationales deviennent à la fois plus interdépendantes et plus sensibles aux rapports de pouvoir inégaux qui les lient. On ne peut plus rivaliser dans un domaine sans tenir tête à la concurrence dans tous les autres domaines — d'où le nombre croissant d'inter-entreprises de type triadique —, ce qui rend fort probable la domination à l'échelle mondiale de tel ou tel réseau d'entreprises multinationales.

La compétitivité est devenue l'objectif premier des industriels, des banquiers et des ministres du Commerce et de l'Industrie.

Les industriels, les politiciens, les économistes, les financiers, les technologues, les syndicats, tous ont fait leur la métaphore de la compétitivité, érigée au rang de credo. L'impératif de la compétitivité se trouve au centre de leurs discussions et de leurs propositions. Nul autre terme ne revient aussi souvent que celui-là dans le discours des politiciens, dans les journaux, dans les livres ainsi que dans les cours et les séminaires portant sur la gestion des affaires. La «bataille de la compétitivité» a été le sujet le plus discuté au cours des 20 dernières années[3].

---

[3] On a commencé à se préoccuper de façon générale de la compétitivité vers la fin des années 1960. Aux États-Unis, le premier rapport établi à ce sujet a été le *Report of the President on US Competitiveness,* rédigé par l'Office of Foreign Economic Research, US Department of Labour, Washington, D.C., en décembre 1980. Un an plus tard, en 1981, paraissait le *Report of Industrial Competition,* préparé par l'European Management Forum, à Genève. Depuis, cet organisme est devenu une autorité en matière d'analyse de la compétitivité.

Se soucie-t-on de l'emploi et des chômeurs? Réponse: il faut être compétitif. Cet état d'esprit explique le titre donné par le gouvernement du Royaume-Uni au rapport qu'il a rédigé en 1994: *Competitiveness and Employment* (La compétitivité et l'emploi). Les programmes universitaires devraient-ils être modifiés et pour quelle raison? Ne faut-il pas «harmoniser les programmes avec les besoins de l'industrie»? Le pays s'intéresse-t-il suffisamment au développement de la technologie? Invariablement, la même réponse revient: c'est pour préserver notre «compétitivité» qu'il faut agir.

La Communauté européenne n'a-t-elle pas inscrit dans ses traités constitutifs en 1985, et pour la première fois de son histoire, une politique commune de la recherche et de la technologie dont l'objectif est «d'améliorer les assises scientifiques de l'industrie européenne afin d'accroître son niveau de compétitivité sur le plan international»?

Le gouvernement néerlandais a présenté au parlement un rapport rendu public en juin 1993 et intitulé *Competing with technology* (Être compétitif grâce à la technologie), dans lequel il présente ses priorités en matière de technologie pour les années à venir. L'objectif principal de cette politique est d'améliorer la position du pays dans la course technologique.

Une même toile de fond culturelle sous-tend le slogan *«Train to Compete»* (La formation au service de la concurrence) auquel a eu recours l'établissement Berlitz-Belgique pour promouvoir son programme intensif d'apprentissage du japonais, d'une durée de six mois, le leitmotiv *Aprender a competir* (Apprendre à être compétitif) adopté par l'«Université Euroforum» à l'Escorial et la devise *Éducation, recherche et compétition* adoptée par le Comité consultatif sur la R-D industrielle de la Commission de l'Union européenne. Autant d'unanimité a de quoi surprendre et inquiéter.

Les partisans du credo de la compétitivité sont fermement convaincus que celle-ci est la seule réponse valable aux problèmes et aux défis qui se posent aux économies et aux sociétés de la planète. Leur conviction s'étend non seulement aux pays les plus développés mais à tous les pays, régions et entreprises de la terre. Par exemple, dans leur esprit, la participation accrue des entreprises et des pays d'Afrique au «libre» marché constitue la solution à l'appauvrissement et à la dislocation sociopolitique croissants du continent africain. Une solution semblable est avancée pour l'Amérique latine. De la même manière, ils estiment que la lutte aux désordres écologiques peut être gagnée si les entreprises jouissent d'une plus grande liberté au chapitre de la compétitivité. Leur argument est simple: si l'on fournit aux mécanismes du marché la pleine liberté dont ils ont besoin pour bien fonctionner, la compétitivité établira un équilibre nécessaire entre les coûts et les prix, et les entreprises réussiront à supporter les coûts environnementaux, ce qui débouchera sur une tarification juste et équitable des ressources naturelles. Et, peu à peu, la préférence des consommateurs et des investisseurs ira vers les procédés et les produits non dommageables pour l'environnement.

Dans cette optique, la complète libéralisation des échanges commerciaux mondiaux dans tous les secteurs, conformément aux principes du GATT, devient une condition préalable, pour autant que chacun applique ces derniers intégralement et équitablement. Cette solution semble obtenir la faveur de tous parce qu'elle serait la plus efficace et surtout parce que dans un tel cas les principes et les règles d'une économie de marché concurrentielle se répandraient dans le monde entier.

La compétitivité est ainsi présentée comme la seule solution «mondiale» à des problèmes jugés d'envergure mondiale. La beauté de la course à la compétitivité, laisse-t-on entendre, c'est qu'une fois lancée, rien ne peut l'arrêter. À l'opposé, on estime qu'il est extrêmement difficile de définir et de mettre en œuvre un système de gouverne mondiale démocratique ayant comme racines des règles et des procédures applicables à l'échelle de la planète. En l'absence de celles-ci, nous dit-on, la «démocratie» exige de laisser les forces du marché décider. Autrement dit, il faut permettre aux entreprises, aux régions et aux pays les plus concurrentiels d'indiquer au monde dans quelle direction il doit aller et quel chemin il doit emprunter. Le problème que pose la compétitivité n'est pas tellement le fait qu'elle existe, mais bien plutôt le fait qu'elle prétende s'imposer comme la seule règle potentiellement comprise et respectée par tous. L'obsession de la compétitivité a fait en sorte que celle-ci est en bonne voie d'éliminer du débat public tous les autres principes. Elle ne souffre apparemment d'aucune concurrence.

Pour quelle raison la compétitivité est-elle devenue un tel credo? Pourquoi l'objectif de la concurrence commerciale importe-t-il plus, dans l'esprit des décideurs des secteurs public et privé, que n'importe quel autre objectif? Comment se fait-il qu'une modalité soit devenue le but à atteindre à tout prix, autant pour les agents de l'économie que pour l'ensemble de la société?

Le fait que la concurrence, de moyen qu'elle était, s'est transformée en une fin en soi s'explique par plusieurs facteurs. Nous avons déjà mentionné le rôle que la mondialisation a joué à cet égard. Le facteur socioculturel tient aussi une place de premier plan dans cette évolution.

Comme c'est le cas pour toute vision ou idéologie partiale, la «Bible de la compétitivité» repose sur quelques idées fort simples et sur des constats en apparence «incontournables». Elle se fonde essentiellement sur la conception que nos économies et nos sociétés se livrent déjà à une guerre technologique, industrielle et économique généralisée. Il faut donc, d'abord et avant tout, devenir assez fort pour vaincre les concurrents. Nous n'avons pas le choix, car ce sont les «autres» qui ont déjà décidé que nous étions leurs concurrents. Ainsi, les Américains ont pour principaux concurrents les Japonais et les Européens de l'Ouest; les Japonais ont les Américains et les Européens de l'Ouest; ces derniers, les autres pays de l'Europe occidentale, le Japon et les États-Unis[4]. Quant à la Corée du Sud, ses grands concurrents seraient le Japon, Singapour, Taiwan et, de plus en plus, la Chine continentale. Il y a quelque chose de réconfortant à l'idée de savoir qui sont les adversaires. On se donne ainsi à peu de frais l'illusion que l'on pourra prévenir les coups. L'obsession de la compétitivité procure donc la satisfaction de savoir que l'on maîtrise parfaitement la situation.

---

[4] Voir THUROW, Lester C., *La Maison Europe: superpuissance du XXIe siècle,* Calmann-Lévy, Paris, 1992 (traduit par Jacques Fontaine); LELLOUCHE, Pierre, *Le Nouveau Monde. De l'ordre de Yalta au désordre des nations,* Grasset, Paris, 1992; KOTLER, P., *et al., The New Competition. Meeting the Marketing Challenge from the Far East,* Prentice Hall International, Englewood Cliffs, New Jersey, 1985.

La conviction que nos sociétés sont engagées dans une lutte économique sans merci s'est répandue et est à présent largement partagée, en particulier depuis la fin de la guerre froide. Peu importe de savoir si cette coïncidence est le fruit du hasard ou relève plutôt de la psychosociologie profonde (les populations auraient-elles besoin d'ennemis extérieurs?). Les faits sont là.

Les chefs d'entreprise sont parmi les plus fervents adeptes de cette pensée. «Nous devons faire face à une guerre économique», d'insister Louis Gallois, de CEO-Aérospatiale, le fabricant français des Airbus. Selon lui, l'expansion des économies de la planète s'effectue à la façon d'une lutte armée. Elle est en train de modifier le genre d'alliances que concluent les entreprises. Auparavant, poursuit-il, celles-ci concernaient des programmes de recherche ou la conception de nouveaux produits, et chacun des partenaires conservait son indépendance. «L'objectif principal visé par les alliances est désormais de réduire les coûts et d'accroître la compétitivité[5]». Les politiciens eux aussi emboîtent le pas. Le président de la France, François Mitterrand, tout comme le président Bill Clinton des États-Unis et le chancelier allemand Helmut Kohl font souvent allusion à cette guerre économique. Même s'ils la déplorent, ils affirment qu'ils sont bien obligés de l'accepter comme un fait accompli et qu'il importe, par conséquent, pour leur pays de s'y adapter de telle manière qu'il en sorte vainqueur!

La nécessité qu'il y ait un gagnant constitue une autre façon de suggérer que nos sociétés mènent une lutte sans merci sur le front de l'économie. Le Conseil des sciences du Canada a donné le titre *Winning in a World Economy* à un rapport qu'il a rédigé sur le rôle des interactions entre l'université et le secteur industriel en vue de relancer l'économie canadienne[6]. D'après la direction de General Electric, avant de prendre une décision quant au lancement d'un nouveau produit, il faut répondre par l'affirmative aux cinq questions suivantes:

---

[5] *Le Monde,* 8 juin 1993, p. 31.

[6] *Winning in a World Economy. University-Industry Interaction and Economic Renewal in Canada,* Conseil des sciences du Canada, rapport 39, Ottawa, avril 1988. Anecdote qui en vaut bien d'autres: en 1992, le Conseil des sciences du Canada a été aboli par le gouvernement fédéral canadien afin de réduire le déficit budgétaire et de rendre ainsi le pays plus compétitif.

- que voulons-nous être? (la vision)
- comment allons-nous procéder? (la mission)
- en quoi croyons-nous? (les valeurs)
- sur quel plan allons-nous gagner? (les objectifs)
- de quelle manière allons-nous gagner? (les stratégies[7]).

Ainsi, l'on sait que General Electric a comme philosophie de demeurer dans les secteurs d'activités où l'entreprise se classe au premier ou au deuxième rang. Sinon, elle les abandonne. On ne «compétionne» que si on est certain de gagner.

Plus la compétitivité d'une firme, d'une région ou d'un pays est grande, plus les chances de survie, dit-on, sont élevées. L'absence de compétitivité signifie l'exclusion du marché, la perte de maîtrise sur son avenir et la soumission à la domination du plus fort. Le bien-être socio-économique individuel et collectif, l'autonomie d'une région, la sécurité et l'indépendance d'une nation ou d'un continent sont, pense-t-on, tributaires du degré de compétitivité.

La «Bible de la compétitivité» a ses évangélistes, ses théologiens, ses prêtres et, évidemment, ses disciples. Ces derniers se comptent par millions au sein des régions et des groupes sociaux les plus riches et les plus puissants de la planète, spécialement à l'intérieur de la Triade. Ses évangélistes sont ces milliers d'économistes et d'experts des États-Unis, de l'Europe occidentale et, plus récemment, du Japon, de Taiwan, de Singapour et de Corée du Sud qui ont conféré, au nom de l'autorité scientifique qu'ils détiennent, le caractère de loi naturelle à la plupart des principes et des mécanismes sur lesquels s'appuie l'économie de marché capitaliste moderne. Ce faisant, ils ont introduit dans la conception et la vision qu'on se fait de l'économie contemporaine une série de notions et de thèmes qu'ils ont, à juste titre ou non, empruntés à d'autres concepts scientifiques et philosophiques, élaborés notamment par Hobbes (*l'homo homini lupus*), par

---

[7] Tiré d'une conférence donnée par SINGH, Kamar, gestionnaire de programme, General Electric, Ohio, lors d'un séminaire international organisé par la Norwegian Academy of Technological Sciences et tenu à Trondheim, les 2 et 3 septembre 1993.

Darwin (la sélection «naturelle»), par Nietzsche (la mentalité de vainqueur).

Le nombre de théologiens a proliféré au cours des années 1970 et 1980. Ils ont publié une foule d'ouvrages sur le sujet. Si l'on effectuait une recherche du couple compétitivité-concurrence dans tous les livres répertoriés en bibliothèque depuis 15 ans, en se limitant aux seuls ouvrages anglais, la liste des références s'allongerait sur plusieurs centaines de pages. Nous disons «en anglais», car il est bien connu que c'est en anglais qu'il faut publier si l'on veut être compétitif. Cette remarque ne se trouve évidemment pas dans la version anglaise de ce texte.

Tous ces auteurs prennent bien soin de nous expliquer que la compétitivité ne constitue pas seulement un objectif pour une entreprise (ce qu'ils appellent la microcompétitivité), un secteur industriel (il faut alors parler de mésocompétitivité), un pays (la macrocompétitivité), mais qu'elle regarde tout le monde, y compris l'État, le système d'enseignement, le système de santé et les syndicats[8].

Les prêtres du culte de la compétitivité sont légion. On les rencontre partout: dans les universités, au sein des parlements, dans la Cité de Londres comme à São Paulo, au sein du Fonds monétaire international et de la Commission de l'union européenne, parmi les membres de la Chambre de commerce d'Oslo, du Caire et de Calcutta aussi bien que dans les syndicats allemands. On les trouve également à Moscou, à Varsovie, à Budapest et en Chine, où leur nombre ne cesse d'augmenter. Les plus convaincus sont les conseillers en affaires et en gestion, qui sont les mieux outillés pour gagner les gens à leur cause. L'enseignement et la promotion du «Grand Livre de la compétitivité» leur procurent en effet une source de revenu des plus intéressantes.

Le culte de la compétitivité possède son propre outil «scientifique»: le *World Competitiveness Index* (WCI[9]) ou l'Indice mondial de la

[8] On trouvera dans *Technology and the Economy,* document rédigé par l'OCDE, une analyse savante, d'envergure internationale, des diverses formes de la compétitivité. Paris, 1992.

[9] *The World Competitiveness Index* (WCI) est un rapport annuel produit par le World Economic Forum (53, chaussée des Hauts-Crets - CH-1223 Genève). Dans son édition de 1992, l'indice comprend 36 pays (dont 24 pays industrialisés et 12 pays «en voie de développement»). Il est établi en fonction de huit groupes de «facteurs de compétitivité» comportant 300 critères.

compétitivité. L'élaboration de cet indice par un établissement privé suisse et par le World Economic Forum, de concert avec l'Institute for Management Development de Lausanne, a demandé plusieurs années. Le WCI remplit une fonction équivalant à l'ATP dans le classement du tennis professionnel. Tous les ans, l'indice indique le rang qu'occupe chacun des pays dans le monde, en fonction de son degré de compétitivité (l'un des indicateurs clés est le niveau d'« agressivité » commerciale et industrielle de chacun). Comme il fallait s'y attendre, le Japon est en tête de liste depuis quelques années.

L'évaluation de la compétitivité d'un pays et l'indication des moyens à prendre pour augmenter celle-ci sont devenues une tâche nationale dans de nombreux pays. En Belgique, par exemple, le Conseil central de l'économie, organisme multipartite influent, doit produire tous les six mois un rapport sur la compétitivité des entreprises belges. Celui-ci est rédigé et évalué conjointement par le gouvernement, le secteur industriel et les syndicats. De nos jours, la compétitivité des sociétés belges est le seul objectif qui obtienne le plein consensus des industriels, des syndicalistes, du gouvernement et des consommateurs. Des groupes interministériels sur la compétitivité ont été créés aux États-Unis, au Japon, aux Pays-Bas et en Espagne. Dans le premier pays, il existait sous George Bush le *Policy Council for Competitiveness*, à la tête duquel se trouvait le vice-président Quayle. Bill Clinton a maintenu en place ce conseil, qui a pour mandat de soumettre tous les deux ans un rapport au président et au Congrès. Le rapport de 1993 s'intitule *A Competitive Strategy for America*[10]. Le président américain a en outre institué un *Economic Security Council* dont la tâche principale consiste à assurer et à renforcer la compétitivité de l'économie. En Italie, l'ENEA, le plus important organisme de recherche public, a présenté à son tour un rapport intitulé *Primo Rapporto de l'ENEA sulla Competitività dell'Italia nelle Industrie ad Alta Tecnologia* (Premier rapport de l'ENEA sur la compétitivité de l'Italie dans l'industrie de la technologie de pointe).

À la demande d'un groupe de cadres supérieurs européens, la

---

[10] Deuxième rapport soumis au président et au Congrès, Competitiveness Policy Council, Washington, D.C., mars 1993.

Booz-Allen & Hamilton et l'European Business Press Federation ont publié en 1992 un rapport d'enquête intitulé «*The Competitiveness of Europe and its Enterprises*» (La compétitivité de l'Europe et de ses entreprises).

La principale proposition qu'ont faite les dirigeants des 17 plus grandes entreprises européennes, dans un document remis au président de la Commission européenne en novembre 1993, était de former un conseil européen sur la compétitivité réunissant des industriels, des politiciens et des scientifiques (mais non des représentants des syndicats ouvriers[11]).

Les limites de la concurrence

En dépit de sa popularité, la compétitivité est loin de représenter une solution efficace aux problèmes et aux perspectives qui se dessinent dans le nouveau «monde global». C'est à se demander si la compétitivité est elle-même une idée compétitive. La concurrence utilisée à l'excès comporte même des effets indésirables. L'une des conséquences les plus frappantes de l'idéologie de la concurrence est qu'elle engendre une distorsion dans la façon dont l'économie elle-même fonctionne, sans mentionner ses répercussions sociales dévastatrices.

En premier lieu, il est de plus en plus évident que, pour nombre d'Américains, la concurrence économique internationale de la dernière décennie a conduit à la suppression d'emplois et à la diminution de la qualité de vie. Les Européens, pour leur part, commencent à peine à s'apercevoir que la poursuite de la compétitivité à l'échelle internationale s'effectue à un prix inacceptable sur le plan humain[12]. Ce n'est pas en augmentant le nombre de chômeurs qu'un pays s'enrichit. Il ne gagne pas non plus à appauvrir ceux qui conservent leur emploi en comprimant leurs salaires et en rognant sur leurs avantages sociaux, façon socialement inacceptable de hausser la productivité. Il est vrai que statistiquement parlant, plus un pays s'appauvrit, plus il est facile d'y être riche. Mais c'est une illusion.

---

[11] Voir *Beating the Crisis. A Charter for Europe's Industrial Future,* Rapport préparé par l'European Table of Industrialists, Bruxelles, 1993.

[12] PFAFF, William, «When Global Competition Means Regression at Home», *International Herald Tribune,* 18 février 1993, p. 4.

La première conséquence découlant de l'idéologie de la lutte pour la compétitivité est que les «Nord-Américains, les Européens et les Japonais poursuivent tous la même bataille en sacrifiant les intérêts des personnes les plus vulnérables de leurs sociétés[13]». Un partisan de cette idéologie a dernièrement exprimé une idée semblable, mais d'une façon différente. Il mettait en doute la compétitivité des entreprises britanniques par rapport à celles de la Corée du Sud ou de l'Indonésie si le système de protection sociale en Europe continuait à être aussi généreux et si les salaires demeuraient de 30 à 50 fois supérieurs à ceux des pays asiatiques. C'est ainsi que, comme nous l'avons vu dans le précédent chapitre, les dirigeants politiques et économiques proposent comme solution la réduction des dépenses de sécurité sociale et des salaires réels.

Cependant, comment est-il possible de mettre en parallèle la compétitivité de pays où l'on gagne 1000 $ US par an pour 2 200 heures de travail et celle d'autres pays où l'on reçoit 30 000 $ US pour 1 600 heures de travail? C'est pure démagogie de prétendre que la compétitivité de ces derniers augmentera de manière significative si l'on comprime quelque peu les coûts de la main-d'œuvre. Il faudrait pour y arriver les réduire à néant et ainsi «compétitionner» à armes égales avec les pays les plus pauvres. Ce nivellement par le bas a quelque chose d'étonnant dans la bouche des partisans de la liberté absolue des marchés.

En second lieu, il s'ensuit que si tout le monde fait concurrence à tout le monde, la valeur de la compétitivité finira par disparaître. L'ancien secrétaire général de l'OCDE, Émile Van Lennep, a été l'un des premiers à le souligner: «Par rapport à qui l'OCDE, dans son ensemble, devrait-elle être plus compétitive? Par rapport aux pays en voie de développement, par rapport à la lune[14]?» La concurrence de tous avec tous n'est pas non plus une solution. Si l'on agit ainsi, tôt ou tard le système s'effondrera. Pour survivre, ce dernier a besoin d'une multiplicité et d'une diversité d'acteurs. Or, la logique de la

---

[13] *Ibidem.*

[14] Cité par BRITTAN, Samuel, «Myth of European Competitiveness», *Financial Times,* 1er juillet 1993.

compétitivité cherche à abaisser le degré de diversité du système en éliminant ceux qui sont incapables de résister aux forces dominantes et d'affronter plus forts qu'eux. En ce sens, elle contribue à l'expansion du phénomène de l'exclusion sociale : les personnes, les entreprises, les villes et les nations non concurrentielles sont laissées pour compte et éliminées de la course. Ce n'est pas acceptable sur le plan moral et ce n'est guère efficace sur celui de l'économie. Plus un système s'appauvrit, plus il perd la capacité de se régénérer.

La troisième conséquence de l'idéologie de la compétitivité est qu'elle met des œillères à tout le monde. Elle ne fait «voir» qu'une seule dimension de l'histoire humaine et sociale : l'esprit de compétition. Certes, celui-ci, comme la combativité, constitue un puissant moteur d'action, de motivation et d'innovation. Il n'agit toutefois pas indépendamment d'autres dimensions telles que l'esprit de collaboration et la solidarité. La coopération est aussi un phénomène fondamental de l'histoire de l'humanité, voulu et déterminé par la société. La compétition et la collaboration, tout comme la combativité et la solidarité, constituent des dimensions essentielles de la condition humaine. Mais l'idéologie de la compétitivité ignore ou dévalue la coopération, ou encore l'intègre à sa propre logique, comme cela se produit dans le cas de la vaste majorité des alliances stratégiques de type coopératif conclues entre les entreprises. Les individus et les entreprises sont souvent en désaccord les uns avec les autres. Cela ne les empêche nullement, si on leur en donne l'occasion, de chercher à se concerter pour réduire les risques d'une guerre de tous contre tous.

En quatrième lieu, cette idéologie débouche sur un réductionnisme et un fondamentalisme sectaires. L'idéologie a non seulement un seul œil, mais un œil qui voit mal. Elle ne peut donc mesurer les choses selon la bonne échelle. La compétitivité ramène la globalité de la condition et du développement humain et social aux perceptions, aux motivations et au comportement de l'«*homo economicus*» et de l'«*homo competitor*». Pour ces derniers, tout est subordonné à la compétitivité et légitimé par elle. Tout n'acquiert une valeur que par rapport à sa pertinence pour l'économie. La formule magique de l'idéologie de la compétitivité, régie par l'économie, est «revenons à nos affaires». On présume, par cette expression, que les gens qui retournent à leurs affaires agissent forcément de la bonne façon.

L'idéologie de la compétitivité réduit à presque rien le sens profond et la raison d'être de l'économie. L'économie, c'est «la règle de la maison», c'est-à-dire celle qui gouverne une entité sociale comme la famille. Au sein d'une famille, il existe bien sûr un phénomène de lutte pour le pouvoir ou pour la liberté entre le père et la mère, les parents et les enfants, les grands-parents et la jeune génération. Mais la famille est à même d'assurer son existence si la collaboration et la solidarité prévalent sur la concurrence et la combativité. Dans une large mesure, ce qui est vrai d'une famille l'est aussi d'une ville, d'un peuple et de la société planétaire. Mais pour l'idéologie de la compétitivité, le marché est le seul aspect qui compte, le seul qui doive déterminer le développement économique et le bien-être social des peuples et des pays. Certes on doit se réjouir du fait que l'économie de marché ait fait des progrès importants depuis ces dernières années. Cependant, on doit aussi constater que le marché est impuissant à réduire les exclusions sociales ou à faire face à la dégradation de l'environnement. Le reconnaître n'est pas prendre position contre le marché, mais simplement constater les faits. La plupart des efforts de l'économie de marché sont axés sur les besoins des nantis. Les besoins des millions de personnes qui aspirent à faire partie de ce marché, on ne les voit tout simplement pas.

Il ne s'agit pas d'opposer les forces du marché aux autres forces de l'économie et de la société, mais de comprendre que l'équilibre de leurs interrelations est absolument crucial. Or, l'idéologie de la compétitivité proclame que ce qu'elle voit constitue la réalité ultime et exclusive. Cette prétention à la suprématie mérite d'être rejetée à cause de ses bases réductrices. La santé économique de nos sociétés le commande, sans parler de la santé morale ou sociale. L'idéologie de la compétitivité — comme toutes les idéologies d'ailleurs — empêche de voir les choses telles qu'elles sont. À ce titre, elle conduit inévitablement à l'inefficacité. La majorité des exclusions qui découlent d'un mauvais fonctionnement du marché ne fait aucun sens.

Le fondamentalisme sectaire des théologiens, prêtres et disciples de cette idéologie n'a d'égal que le fondamentalisme religieux qui caractérise certains courants de l'islamisme, du néo-catholicisme et du bouddhisme contemporains. Les fondamentalistes de la compétitivité se montrent aussi agressifs dans leur théorie, aussi aveugles dans leur approche et aussi sectaires dans leur évaluation et leur jugement que leurs «collègues» religieux. En plus, ils en deviennent arrogants.

La concurrence entre les entreprises ne peut à elle seule régler les enjeux à long terme que comporte la problématique planétaire. Le marché ne s'intéresse pas à l'avenir; il a naturellement une vision à courte vue. C'est d'ailleurs ce qui fait sa force. Il ne faut donc pas lui demander ce qu'il ne peut donner. Même si l'on réunit des milliers d'organisations myopes, cela ne les rendra pas plus aptes, individuellement et collectivement, à appréhender correctement la réalité et à acquérir le sens de l'orientation qui leur fait défaut.

Cela vaut également pour la concurrence effrénée à laquelle se livrent les États entre eux. L'importance exagérée qu'on accorde à celle-ci mène inévitablement à un climat de foire d'empoigne et à des conflits sans fin entre «blocs régionaux». Elle met dès lors en relief l'incapacité des instances nationales à s'occuper des vraies priorités nationales et mondiales.

Finalement, lorsque les intérêts des entreprises concurrentielles s'allient à ceux des nations concurrentielles, il en découle même une évolution contre-intuitive qui va à l'encontre des mécanismes du marché. Jugeons-en nous-mêmes:

- diverses formes de protectionnisme ou de politique industrielle défensive voient le jour; afin d'aider les entreprises «locales» à soutenir la concurrence dans d'autres pays, l'État leur offre une protection ou des avantages artificiels;
- un techno-nationalisme s'installe, par suite du frein imposé à la circulation du savoir, celui-ci pouvant constituer un facteur de production concurrentiel pour d'autres pays;
- les accords bilatéraux entre pays se multiplient, dans le but de faire front contre les concurrents tiers.

Autrement dit, le marché concurrentiel perd toute sa valeur dans un contexte où les peuples n'agissent qu'à partir d'une obsession de la compétitivité. La même règle vaut dans le cas de la compétition entre blocs continentaux. La leçon à tirer est qu'un marché compétitif sera vraiment efficace pour les entreprises s'il existe un cadre clair de coopération entre les pays du monde entier, fait de règles de conduite et de dispositifs conçus pour l'échelle planétaire.

Mais il y a cependant de l'espoir. Certains économistes, même parmi les praticiens d'une science économique «traditionnelle», ont commencé à remettre en question certaines des idées reçues concernant l'économie mondiale. Dans un article intitulé «Competitiveness: A Dangerous Obsession» (La compétitivité, une obsession dangereuse), Paul Krugman, aujourd'hui professeur à l'Université de Stanford, montre que «la compétitivité est un mot vide de sens lorsqu'on l'applique aux économies nationales[15]». Il développe sa pensée en trois points: d'abord, il affirme que les inquiétudes que suscite la compétitivité sont empiriquement non fondées; deuxièmement, il attribue à une mauvaise utilisation des données le fait que tant de gens soient malgré tout séduits par l'idée que leurs problèmes économiques sont dus au fait qu'ils ne sont plus compétitifs sur la scène internationale; et, enfin, il soutient que l'obsession de la compétitivité est non seulement erronée mais dangereuse, car elle fausse les politiques nationales et menace le système économique international. Selon lui, penser en fonction de la compétitivité débouche, directement ou indirectement, sur de mauvaises politiques, aussi bien en matière d'économie ou de commerce qu'en matière de santé ou de R-D. Le problème en ce qui concerne les erreurs d'appréciation de l'idéologie de la supracompétitivité, c'est qu'elles s'autojustifient. Il faut donc rompre ce cercle vicieux dans lequel les faits n'ont plus droit de cité.

L'idéologie de la compétitivité accorde la priorité aux outils et aux systèmes techniques. En songeant à ce que pourrait être l'usine en l'an 2005, la première image qui vient à l'esprit est celle d'un travail hautement spécialisé où dominent les machines (robots, machine-outils à commande numérique, cellules flexibles, fabrication intégrée assistée par ordinateur, etc.) et où l'on trouve peu d'êtres humains.

---

[15] KRUGMAN, Paul, «Competitiveness: A Dangerous Obsession», *Foreign Affairs,* 73, 2, 1994, p. 28-44.

On s'intéresse à ceux-ci surtout quand il s'agit de savoir comment leurs compétences peuvent servir les exigences des nouvelles technologies. Pour ce qui est des télécommunications et des mass media de l'avenir, l'accent est mis sur les centres de répartition, le matériel de commande, les terminaux «intelligents», les réseaux, les ordinateurs, les fibres optiques et les autoroutes de communication à large bande. Ce n'est qu'ensuite que nous pensons au rôle des gens, et encore, d'une manière restrictive, c'est-à-dire uniquement en tant que producteurs et consommateurs. C'est ce qu'on appelait à l'époque mettre la charrue devant les bœufs, et il n'est pas étonnant que l'économie de marché en vienne si souvent à sanctionner les entreprises qui oublient cette vérité élémentaire.

Ce faisant, l'idéologie de la compétitivité consacre la primauté du court terme et celle des coûts et des avantages financiers. La logique des rapports trimestriels prédomine. Les visées myopes des grands actionnaires prennent le pas sur celles des plus petits. La prédominance des objectifs à court terme provoque la surproduction dans une région et la pénurie dans une autre. Même les activités de R-D en viennent à être imprégnées de considérations strictement financières et qui l'emportent sur la logique industrielle. À la suite de fusions et d'acquisitions, l'impératif de la compétitivité conduit à l'abandon d'installations de R-D qui, dans bien des cas, étaient encore rentables. Il faut alors tout recommencer en répétant les mêmes erreurs.

En accordant la priorité exclusive à l'excellence, la compétitivité maintient et renforce l'inégalité structurelle entre les régions et les villes. Comme le montrent la plupart des analyses des effets de la création du Marché unique intégré en janvier 1993, et de l'Union économique et monétaire prévue pour 1997, les inégalités entre les régions de la Communauté européenne sont destinées à s'accroître si seule la logique de la compétitivité est appelée à diriger la marche des événements, en l'absence, entre autres mesures, de toute politique fiscale à l'échelle européenne[16]. Mais l'expérience de plusieurs pays fédéraux, dont le Canada et les États-Unis, a clairement montré les

---

[16] HILPERT, Ulrich, et HICKIE, D., *Archipelago Europe*, FAST, Bruxelles, 1991, et FONTELA, Emilio, et HINGEL, Anders, «Scenarios on Economic and Social Cohesion in Europe», *Futures*, mars 1993, p. 139-154.

limites de ces politiques de redistribution et de péréquation. En l'absence de mesures de concertation et de solidarité active, de telles politiques sont souvent perçues comme des ponctions coûteuses par les régions riches et comme des instruments de dépendance par les régions plus pauvres. On finit par croire qu'elles mettent en cause la compétitivité du pays.

La même observation peut être faite au sujet des inégalités entre les pays à l'échelle de la planète. La super-compétitivité a rendu encore plus riches et plus solides les pays qui l'étaient déjà. Les quelques cas d'exception souvent mentionnés pour démentir un tel constat, les quatre petits dragons de l'Asie du Sud-Est, font exception à la règle précisément parce qu'ils ne représentent pas des exemples d'application orthodoxe des principes de la concurrence. Leur croissance rapide et leur réussite commerciale sont avant tout attribuables au fait qu'ils ont été pendant ces 40 dernières années — pour des raisons de nature surtout politico-stratégique liées à la «menace» communiste — le lieu qu'ont choisi les multinationales de la Triade pour investir et étendre leurs activités. Ces entreprises y ont trouvé un climat social et politique particulièrement favorable (faibles coûts de main-d'œuvre, absence de syndicats, régimes politiques autoritaires). Elles n'en demandaient pas tant.

Les inégalités d'ordre économique sont également amplifiées par les déséquilibres et les exclusions auxquels donne lieu l'idéologie de la concurrence. Armée de la seule vérité que constituent les lois du marché, la compétitivité engendre un ostracisme fondamental parmi les agents économiques : tous sont invités à partager le festin, mais rares sont les personnes, les entreprises, les groupes sociaux et les régions qui peuvent s'asseoir à la table, car il faut pour cela acquitter les droits d'entrée en étant plus compétitif que les autres. Seuls les vainqueurs ont le droit de poursuivre leur chemin et d'étendre leurs conquêtes. C'est de cette façon qu'on finit par être seuls à table.

La logique du «vainqueur» est de plus en plus acceptée et assimilée par les gens. Qui plus est, les liens sociaux et le sens de l'appartenance sont de moins en moins authentiques, forts, visibles et durables entre les acteurs sociaux. Les notions de bien commun et d'intérêt général ont été récupérées par les multinationales gagnantes.

Une fois de plus, les femmes appartenant aux minorités ethniques constituent le groupe social le plus touché et le plus sacrifié. Poussant les gens à se mesurer les uns contre les autres, l'idéologie de la compétitivité exacerbe les problèmes d'identité, surtout si les exclusions qu'elle engendre coïncident avec des clivages ethniques, religieux ou même de génération ou de sexe. Ceux qui sont ainsi rejetés finissent irrémédiablement par se demander si leur exclusion n'est pas causée par une quelconque volonté politique.

Dans ces conditions, il est difficile de parler d'institutions et de régimes démocratiques. La démocratie est sauvegardée dans les formes. Il n'en est pas de même de ce qui fait sa substance. Lorsque la logique de guerre économique et la loi du plus fort prédominent, il ne reste au plus faible qu'un seul droit: celui d'être un bon soldat (si on lui donne encore la chance d'avoir accès à l'emploi) et un bon consommateur (pour autant que cela ne coûte pas trop cher au système d'aide sociale) (voir l'encadré 4).

Encadré 4

Les effets nocifs de la concurrence excessive

Expression de l'idéologie et de la compétitivité, la concurrence excessive:

- donne priorité aux outils et aux systèmes techniques plutôt qu'aux individus et aux organisations humaines; les êtres humains ne sont intéressants que dans la mesure où ils sont des producteurs et des consommateurs.
- accorde la primauté aux coûts financiers à court terme. Elle crée de la surproduction et des pénuries.
- diminue le caractère concurrentiel du marché intérieur national et accroît la concentration industrielle et financière à l'échelle de la planète; ce faisant, elle favorise le développement de marchés mondiaux oligopolistiques.
- renforce les disparités au sein des pays et entre eux (les riches et les puissants s'enrichissent et deviennent plus forts).
- accentue les écarts entre les peuples et les régions de la terre. Il y a le monde «intégré» et le monde des «exclus».
- contribue à la dégradation de l'environnement, en stimulant la recherche de nouveaux procédés et de nouveaux produits dont le seul critère est celui de la rentabilité immédiate.
- est une source d'ostracisme social important. Individus, entreprises, villes et nations non concurrentiels sont laissés pour compte. Ils ne font plus partie de la course, ils ne valent rien.
- encourage le «cercle vertueux» de la combativité individuelle et collective et empêche la solidarité et le dialogue entre les gens, les nations et les collectivités.
- réduit les moyens d'intervention des autorités publiques et de la démocratie représentative sur les plans local, national et mondial.

Enfin, l'idéologie de la compétitivité aboutit à un appauvrissement culturel sur une vaste échelle. Tranquillement, les débats sur la science, la santé, l'éthique, l'environnement, les relations Nord-Sud, la paix sont vidés de leur contenu propre. Tout se ramène à quelques slogans simples axés sur l'entreprise, le marché, la gestion, l'efficacité, la productivité. Rapidement, on en vient à perdre même le désir de discuter tant les positions de chacun sont prévisibles. Il y a ceux qui sont pour et ceux qui sont contre. Les débats s'en trouvent appauvris.

Une seule conclusion : la concurrence ne peut pas gouverner la planète

À la lumière de ce qui précède, on ne peut répondre que par la négative à la question qui est au cœur de cet ouvrage « La concurrence peut-elle régir la planète ? ».

La contribution que peut apporter la compétitivité à la production de biens et de services destinés à répondre aux besoins et aux aspirations de base des « démunis » et des populations qui ne représentent pas des marchés solvables est très, très limitée, alors que ces populations atteindront dans une ou deux générations les trois à cinq milliards de personnes. La concurrence s'avère également un instrument inefficace pour résoudre les problèmes liés au développement urbain, à l'emploi et à la protection sociale dans les pays de la Triade. L'une des grandes faiblesses de la compétitivité est qu'elle est fondamentalement incapable de concilier la justice sociale, l'efficacité économique, la durabilité environnementale, la démocratie politique et la diversité culturelle. Il nous faut donc trouver une autre solution plus fiable, plus efficace et plus acceptable.

CHAPITRE 4

Vers une gouverne mondiale efficace

Revenons un instant à nos scénarios. Celui de la survie, qui repose sur la prédominance du principe de la compétitivité, ne représente certes pas la meilleure façon de répondre aux besoins et aux aspirations de la population mondiale dans sa majorité.

Les deux scénarios les plus souhaitables, avons-nous dit, sont celui de l'intégration régionale à l'échelle mondiale et celui de l'intégration mondiale viable. Tous deux reflètent la prédominance de la logique de l'intégration et le principe d'une gouverne «mondiale» fonctionnant selon des mécanismes de coopération plutôt qu'en fonction des seuls mécanismes du marché.

Dans le contexte de ces deux scénarios, le nouveau «monde global» découlera de modèles coopératifs de développement privilégiant les principes, les règles et les institutions — telles la liberté, la démocratie, la solidarité, la justice sociale, l'efficacité économique — qui ont jalonné l'histoire du XXe siècle en tentant de contrer l'influence néfaste d'autres principes, règles et institutions comme l'autocratie, l'oligarchie, le darwinisme social, l'aliénation économique, l'intolérance culturelle et le nationalisme agressif.

Contrairement au scénario de la survie qui sous-entend que seuls les gagnants seront appelés à construire le nouveau «monde global», les scénarios de la concertation et de la coopération devraient permettre à l'ensemble des communautés humaines de mieux faire face aux forces de la fragmentation et du largage. Pour tenir tête à ces forces et favoriser l'avènement d'un système de gouverne mondiale efficace, il existe un nombre considérable de propositions, de programmes et de projets qui se veulent raisonnables et constructifs. Ce ne sont pas les idées qui manquent. On sait ce qu'il faut faire. C'est davantage le «comment» qui pose problème: par exemple, comment définir et mettre en place les modalités du processus devant nous mener vers un gouvernement mondial et, plus important encore, comment faire fonctionner efficacement les nouvelles institutions et les nouveaux instruments correspondants?

À cette fin, il convient de se poser deux questions fondamentales: quels processus devons-nous promouvoir, et quelles approches nous permettront de mieux cerner les moyens à utiliser?

Le processus et les modalités

Dans les conditions actuelles, le processus clé paraît être celui du «contrat». Par contrat, on entend le processus qui conduit les parties intéressées à prendre la décision qui ira dans le sens des intérêts de chacun.

La création des Nations Unies il y a 50 ans offre un bel exemple de contrat signé à l'échelle planétaire par les puissances mondiales les plus influentes de l'époque. Ces dernières se sont entendues sur l'objectif principal que constituait la reconstruction de l'après-guerre et sur les règles à suivre pour atteindre cet objectif. Nous avons besoin à présent d'un nouveau contrat capable à la fois de circonscrire l'objectif central à réaliser et de préciser les règles et les mécanismes nécessaires pour construire le monde de l'après-guerre froide et empêcher qu'il ne sombre dans la guerre économique.

À cet égard, deux grandes approches sont possibles. D'une part, il y a l'approche par la régionalisation qui s'appuie sur les regroupements économiques continentaux. Ces entités sont considérées comme les piliers d'un nouveau système mondial reposant sur des rapports relativement équilibrés qu'elles entretiendraient entre elles, par le biais de règles et d'institutions interrégionales, définies et gérées en commun. Cette régionalisation donnerait éventuellement lieu à un système mondial ressemblant non pas à celui des Nations Unies, formé en grande partie d'États-nations en théorie souverains et ayant également voix au chapitre, mais plutôt à un système de «Regroupements» Unis, composé d'entités régionales et continentales (unions, confédérations, communautés). D'autre part, il y a l'approche de la mondialisation fondée sur la mise en place de règles, de mécanismes et d'institutions destinés à promouvoir et à «gouverner» les interactions entre les entités locales, nationales et régionales en vue d'un système de gouvernement global efficace. Pour les partisans de cette approche, le système mondial qui en émergerait ne serait ni un modèle amélioré de l'actuelle Organisation des Nations Unies ni une expansion sur le plan politique du Marché mondial intégré actuellement en gestation. La mondialisation suppose en effet l'adoption de règles, d'institutions et de mécanismes réellement nouveaux en mesure de satisfaire aux exigences et aux conditions inhérentes à la dimension globale que sont en train de prendre les affaires humaines.

Même si la régionalisation et la mondialisation ont beaucoup en commun (certains voient la régionalisation comme une étape sur la voie de la mondialisation), les deux approches sont en fait passablement distinctes. Elles impliquent un système mondial organisé d'une manière différente, ainsi que des acteurs, des règles et des stratégies individuelles et collectives différents.

Examinons maintenant de plus près le processus du contrat dans le cadre de ces deux approches.

Le contrat : une nécessité et un choix

La recherche d'un nouveau contrat mondial est souvent présentée comme une nécessité morale pour le genre humain. On prétend aussi que ce type de contrat constitue notre dernière chance de survie[1].

Ces opinions comportent une certaine dose de vérité. Il ne fait aucun doute en effet que seules des mesures globales pourront empêcher l'avènement des catastrophes sur les plans écologique, social, économique et politique. Mais l'histoire nous apprend aussi que ce n'est pas parce qu'on se sent menacé que l'on prend vraiment les mesures qui s'imposent. Des civilisations, des empires ne se sont-ils pas effondrés même s'ils se savaient menacés ? La présence de menaces imminentes a souvent forcé les gens à se mobiliser pour assurer leur survie ; cependant, ces mêmes personnes se sont montrées incapables, une fois que s'était estompée la source de leurs craintes, d'élaborer un projet et de passer à l'étape de la construction positive.

---

[1] Deux des analyses les plus intéressantes à l'appui de ce point de vue sont celles de KING, Alexander, et SCHNEIDER, Bertrand, dans *Questions de survie : la révolution mondiale a commencé,* Calmann-Lévy, Paris, 1991 et celle de BROWN, Lester, FLAVIN, Christopher, et POSTEL, Sandra, dans *Saving the Planet,* W. W. Norton, New York, 1991.

La vie quotidienne nous démontre que les comportements adoptés uniquement en réaction à la peur ne représentent pas la meilleure façon de vivre et de progresser. Une telle attitude ne débouche que sur la survie temporaire, dans des conditions précaires.

Si les êtres humains réussissent à instaurer un mode de régulation mondiale solide, cela sera surtout attribuable au fait que les gens, les institutions et les sociétés auront fait un choix délibéré, proactif et permanent.

Pour les raisons invoquées au chapitre 1 en ce qui touche la « société civile mondiale », on pourrait soutenir que la Conférence de Rio sur les développements et l'environnement constituait précisément une première tentative de mieux concevoir, produire et partager la richesse dans le monde, compte tenu de la diversité des besoins et des aspirations. Le Sommet de Rio apparaîtra, dans l'histoire de l'humanité, comme la première négociation mondiale à s'être tenue au sujet d'un contrat global portant sur la richesse de la planète[2]. En dépit de ses faiblesses et de ses lacunes, le Programme 21 auquel nous avons déjà fait allusion, et qui a été entériné par les délégués de plus de 130 États, constitue un prototype de contrat global dont la pertinence du point de vue symbolique et politique est considérable[3]. Mais il faudra faire encore plus et encore mieux.

Un contrat est un choix en ce sens que les parties en présence, dont les intérêts sont au départ divergents, prennent la décision de se fixer des objectifs communs, après avoir constaté qu'il est plus bénéfique de « marcher côte à côte » que d'aller dans des directions opposées. Dans ce cadre, tout le monde est gagnant (contrairement au jeu de la compétitivité, où les vainqueurs créent automatiquement des perdants). La reconnaissance réciproque d'Israël et de l'OLP

---

[2] Plusieurs ne seront pas d'accord avec cette hypothèse. En général, l'évaluation de l'importance et de la signification à long terme de la Conférence de Rio est plus modérée. De nombreuses personnes estiment que celle-ci n'a été qu'un autre de ces mégaspectacles de politique internationale dont l'incidence sera minime.

[3] C'est la perception qui a suscité et orienté le débat, dans certains pays, sur la façon de mettre en œuvre les engagements mentionnés dans le Programme 21. La Norvège, le Danemark, la Suède et les Pays-Bas sont parmi les pays où le débat a été intense et significatif par rapport au silence quasi total qui a suivi la Conférence de Rio dans presque tous les autres pays du monde.

fournit un bon exemple de contrat signé par des ennemis qui, après plus de 40 ans de guerre, ont enfin admis que la «coexistence pacifique» valait mieux que la poursuite d'un conflit militaire dévastateur.

Un contrat est le processus qu'il convient de choisir lorsque les parties en cause sont nombreuses, que les problèmes à résoudre sont complexes et multidimensionnels, et que les solutions à apporter sont, de par leur nature, structurelles et exigeant par la suite de nombreux ajustements. En fait, une fois que le contrat aura été signé, après une longue période de négociations intenses et équitables, les gens auront appris ce que signifie la médiation, en auront accepté le principe et auront réussi à comprendre les vues et les intérêts des autres parties[4]. Un plan élaboré par un groupe d'experts et de décideurs internationaux «compétents» aurait beaucoup moins d'impact, et son acceptation serait bien moindre et de durée beaucoup plus courte qu'une entente conçue par le plus de gens possible et entérinée par toutes les parties concernées. En négociant un tel contrat, ils se facilitent la tâche pour la suite, ce qui n'est pas un avantage négligeable.

Voici l'exemple de deux contrats mondiaux qui feraient intervenir des processus pouvant mener à des formes de gouverne globale.

Un contrat des plus difficiles mais aussi des plus marquants pour notre époque est celui que concluraient entre elles les différentes confessions religieuses de la terre. Les tendances actuelles ne sont pas très encourageantes à cet égard. Il semble bien que les conflits religieux soient appelés à se multiplier, à s'étendre et à s'intensifier. Comme on l'a vu au chapitre 2, certains sont même convaincus que la prochaine guerre mondiale sera inévitablement causée par une confrontation entre ce qu'ils appellent la civilisation «occidentale» et la civilisation «islamique».

Néanmoins, nombreux sont les projets et les initiatives, au cours des 20 dernières années, à l'échelle mondiale, régionale, nationale et locale, dont l'objectif a été de promouvoir et d'asseoir sur une base

[4] Au sujet de l'importance de la médiation dans le processus de prise de décision qui caractérise la mondialisation croissante, voir BUSINARO, Ugo Lucio, *Globalisation, From Challenge Perception to Science and Technology Policy, op. cit.*, 1992.

organisationnelle le dialogue entre les diverses confessions. Resserrer ces liens entre les initiatives isolées par la signature d'un protocole mondial sur l'œcuménisme religieux n'est pas un objectif irréaliste. Un tel contrat mondial, assorti de plusieurs protocoles «locaux[5]», constituerait une incitation formidable à la multiplication de projets de codéveloppement, notamment sur le plan économique et social.

Un autre contrat important pourrait mobiliser les citoyens de plusieurs villes du monde, grandes et petites, en vue de la réorganisation des réseaux de transports urbains, avec le soutien d'un certain nombre de fondations privées établies dans les villes signataires du contrat, et avec la participation des entreprises locales. Les mesures prises par une ville seule ne peuvent aboutir qu'à des résultats limités; ses réalisations seraient partielles et peu satisfaisantes, elles pourraient même entraîner des conséquences néfastes. Inversement, si plusieurs villes concluaient une entente sur la question du transport urbain, les répercussions en seraient importantes car cet accord favoriserait inévitablement la recherche, à l'échelle mondiale, de solutions novatrices et efficaces.

Aussi souhaitables soient-ils, de tels contrats mondiaux et globaux soulèvent de nombreuses difficultés. Leur envergure est telle qu'on se sent impuissant devant la tâche à accomplir.

Cibler des objectifs opérationnels précis

On court le risque, en discutant des détails du contrat, de perdre de vue le sens du processus. Quelle est exactement la signification de ce contrat par lequel on cherche à faciliter l'étape de transition qui devra conduire vers un système mondial de gouvernement et de régulation des affaires planétaires? Et que veut-on dire par régulation et gouvernement (ou gouverne planétaire)?

Il s'agit d'un système qui, régi par les populations de la planète selon des règles, des mécanismes et des institutions de «gouvernement» direct ou représentatif, veille à ce que toutes les parties intéressées contribuent à ce qui suit, et en tirent profit:

[5] LUYCKX, Marc, *Les Religions face à la science et à la technologie, Églises et éthiques après Prométhée,* CEE, Bruxelles, novembre 1991.

- des formes extensives de solidarité entre les générations, les groupes sociaux et les peuples actuel et futurs (une justice sociale universelle);
- l'utilisation efficace, et sans danger pour l'environnement, des ressources naturelles et artificielles disponibles et potentielles (une économie mondiale saine);
- un cadre dynamique et à facettes multiples permettant la promotion et le développement de l'identité culturelle, du dialogue et de l'intégration entre les cultures (une diversité et une liberté culturelles authentiques);
- la plus grande participation possible d'individus et de groupes à la prise de décisions (des formes nouvelles de démocratie politique participative et interactive).

À la lumière de ce qui précède, la notion de système de gouverne mondiale efficace a pu sembler relever de l'abstraction. En réalité, la définition qui en est donnée ne fait que souligner l'ampleur des changements requis, ainsi que le temps et les ressources qu'il faudra consacrer à l'instauration, dans des délais raisonnables, d'un tel gouvernement. Ce n'est pas la solution qui est compliquée, ce sont les problèmes.

La mise en place d'une gouverne et éventuellement d'un gouvernement mondial exige des engagements fermes sur de longues périodes, car le défi qu'elle présente comporte deux volets. D'abord, il faut se demander de quelle manière, et sur quelle base, sera reconstitué l'espace socio-économique et politique à l'échelle planétaire et comment en arriver à de nouvelles formes d'institutions démocratiques dont les fondements reposeront sur la libre représentation et sur la participation de tous. Comment se fera la transition? Comment mobiliser l'énergie créatrice du sentiment d'appartenance à l'État et à la nation pour réduire le déficit démocratique qui s'établit souvent dans les associations internationales et intergouvernementales? Ensuite, il faut se demander de quelle manière, et sur la base de quels principes admis par tous, il sera possible de réinsérer le capitalisme mondial libre-échangiste, qui s'étend rapidement partout, dans le cadre d'un système responsable sur les plans social, environnemental et politique et ce, pour le plus grand bien de tous les citoyens de la terre.

Ces défis peuvent être relevés, si l'on part des aspirations et des besoins fondamentaux des habitants de la planète, et si l'on fait de leur satisfaction l'objectif premier vers lequel doit tendre le processus de mise en place du système de gouvernement mondial. La principale raison d'être d'un contrat mondial sera donc de tenter de circonscrire ces aspirations et ces besoins et de choisir les moyens et les ressources qui permettront d'y répondre.

Encadré 5

Sens et faisabilité du contrat mondial

On peut résumer ainsi les points qui viennent d'être analysés: Le contrat est un outil, un processus, devant mener à l'instauration d'un système de gouvernement mondial efficace et démocratique.

- Un gouvernement mondial efficace se compose de quatre «ingrédients» essentiels: une économie mondiale solide, une justice sociale universelle, une identité et une liberté culturelles authentiques, ainsi qu'une démocratie politique valable.
- Ces «ingrédients» font ressortir le double défi que représente le passage vers une gouverne mondiale efficace, soit la mise en place d'un système mondial dans lequel les États-nations et le capitalisme n'occupent plus toute la place.
- Pour relever le double défi, il faut partir des besoins et aspirations des peuples de la terre.
- Le contrat mondial doit servir à définir et à appréhender, de la manière la moins controversée possible, les attentes et les besoins fondamentaux des habitants de la planète, puis trouver et mettre en œuvre les moyens qui permettront le mieux de les satisfaire.

Les besoins et les aspirations de base des êtres humains ne constituent ni une abstraction ni un concept d'application trop générale. En discuter, c'est se rapprocher et non s'éloigner de la réalité. Ils sont de deux ordres et peuvent être mesurés et transposés en objectifs opérationnels précis:

- en premier lieu, il y a les nécessités de l'existence physique, socio-économique, politique et culturelle. Elles supposent que les peuples de la terre ont accès à un minimum vital au chapitre:

- de la nourriture
- des sources d'énergie
- du logement
- des soins de santé
- de l'instruction et de l'éducation
- de la liberté
- de la sécurité
- du travail

- en second lieu viennent les exigences de la cohabitation qui se traduisent par l'établissement d'infrastructures physiques et sociales, de règles et de mécanismes socio-économiques, de formes institutionnalisées de gouvernement et de modes multiples de dialogue culturel. Ici aussi, on peut parler de minimum vital pour ce qui est :

- des modes de transport
- de l'information
- des moyens de communication
- des arts
- de la démocratie
- de l'identité culturelle
- de la justice
- de la solidarité

Afin d'illustrer ces besoins, décrivons ce que nous entendons par nécessité fondamentale et minimum vital dans les domaines du logement et des moyens de communication.

L'étendue des besoins en matière de logement ne fait aucun doute :

- 110 millions de personnes environ (dont près de 10 millions en Amérique du Nord et en Europe) sont privées de logement. On ne dispose pas de données fiables sur les sans-abri de l'ex-Union soviétique et de l'Europe centrale et de l'Est, mais on peut estimer qu'on y trouve un nombre probablement équivalent de sans-abri.
- entre 1 et 1,5 milliard de personnes vivent dans un logis qui n'est pas digne de ce nom ;
- de 2 à 2,5 milliards de personnes habitent un logement dont la qualité ne répond pas aux normes minimales sur le plan des conditions matérielles et socio-économiques[6].

---

[6] Toutes les données sont tirées de CERAGIOLI, G., et MILONE, L., *The Shelter Problem, Global Perspective 2010,* FAST, Bruxelles, mai 1992. Dans le cas des sans-abri, certains soutiennent que leur nombre en Europe et aux États-Unis est inférieur aux estimations officielles. Voir JENCKS, Christopher, *The Homeless,* Harvard University Press, Cambridge, Massachusetts, 1994.

Ce qu'il faut faire pour résoudre ce problème est connu. Il faut, d'une part, trouver un abri à 1,5 milliard de personnes dans les régions les plus pauvres du globe et, d'autre part, refaire l'urbanisation des immenses zones qui encerclent les villes des pays riches. L'enjeu clé est de savoir de quelle façon réaliser cet objectif dans un délai raisonnable, celui d'une génération par exemple. Et qui en prendra l'initiative[7]? Qui sera en mesure de financer les coûts énormes associés à l'acquisition de terrains et à la mise en place des infrastructures nécessaires? Comment peut-on encourager et soutenir l'auto-assistance et l'autogestion à l'échelle de la famille et de la collectivité?

Les besoins en matière de moyens de communication se définissent eux aussi en des termes très concrets. Comment faire en sorte que la moitié de la population mondiale puisse avoir accès à un téléphone[8]? Comment permettre à des populations sous-alphabétisées d'utiliser les nouvelles technologies de communication pour sortir de leur isolement? Comment mobiliser ces technologies au service de l'égalité des chances et de la promotion de la diversité?

Les besoins en matière de communication vont, bien entendu, au-delà du simple accès aux infrastructures matérielles et à la technologie. Ainsi, les questions d'identité culturelle et de démocratie politique posent des problèmes de plus en plus aigus et préoccupants, notamment dans le contexte du développement actuel des mass media soumis, à l'échelle planétaire, à l'influence et au contrôle d'un nombre restreint de consortiums et de réseaux mondiaux.

Il faut espérer que des solutions constructives seront trouvées à l'issue des discussions qui se poursuivent toujours sur la nécessité d'étendre ou non les règlements du GATT aux activités culturelles. En fait, l'essor et l'utilisation des nouvelles technologies d'information et de communication ont une incidence considérable sur toutes les formes d'expression culturelle. Celles-ci sont de plus en plus conçues, produites, diffusées et consommées à la façon de produits et de services industriels traditionnels. D'où l'opinion défendue par certains

---

[7] Voir United Nations Centre for Human Settlement, *The Global Strategy for Shelter in the Year 2000,* Nairobi, 1990; World Habitat Day, 1992; *Shelter for Sustainable Development,* Nairobi, 1992.

[8] O'SIOCHRU, Sean, *Global Sustainability, Telecommunications and Science and Technology Policies,* FAST, Bruxelles, janvier 1993.

selon laquelle les activités culturelles qui reposent sur les nouveaux modes de communication doivent être traitées comme n'importe quel autre produit ou service industriel et, par conséquent, être soumises elles aussi aux règles du commerce mondial. Par contre, nombreux sont ceux qui, prétendant le contraire, refusent que les expressions de la vie culturelle soient réduites au rang de biens et de services. Dans cette perspective, il convient de préserver la diversité culturelle et d'éviter que la supériorité économique d'une entreprise ou d'un réseau d'entreprises, d'un État ou d'un groupe d'États ne joue de manière à entraîner la marginalisation et la disparition de la culture des pays et des régions du monde économiquement faibles.

Dans ce cas, la résolution du problème passe par de multiples mesures, qui sont elles aussi connues. La question principale est de savoir de quelle manière on trouvera et on choisira les solutions qui permettront de répondre le mieux possible aux besoins et aux exigences de la majorité des habitants de la planète.

La régionalisation apparaît pour plusieurs comme la meilleure réponse.

L'émergence de régimes non concurrentiels

L'approche de la régionalisation et de l'intégration continentale

L'approche de la régionalisation s'appuie sur l'idée qu'intégrer les pays d'une même région, dont l'histoire, les traditions et les valeurs sont semblables et qui sont liés entre eux par des intérêts communs, en raison de leur proximité, est plus facile que de tenter de réunir tous en même temps les pays et les peuples de la terre.

À bien des égards, la démarche de la régionalisation continentale s'inspire des thèses fonctionnalistes, selon lesquelles la première étape de l'intégration consiste à instaurer d'abord une grande solidarité de nature économique entre les parties d'une région donnée, pour réaliser ensuite, pas à pas, l'intégration dans les domaines de la monnaie, de la défense et des relations étrangères. Selon le fonctionnalisme, cette démarche progressive conduit, le cas échéant, à l'intégration politique.

Depuis les années 1950, le monde a connu plusieurs expériences de régionalisation. Elles vont de la simple union douanière à une intégration économique reposant sur une union monétaire et sur des politiques économiques communes, en passant par la création d'un marché intégré unique et par la mise en place de dispositifs de coopération économique plus ou moins forte.

La majorité des exemples d'intégration économique régionale relèvent de l'union douanière et de la libéralisation plus ou moins avancée des marchés nationaux. La libéralisation se limite souvent à la libre circulation des biens. Dans le cas de la Communauté européenne, unique en son genre, la libéralisation s'étend aussi aux capitaux, aux services et aux habitants.

Aucun modèle d'intégration économique régionale ne ressemble parfaitement à un autre. Même parmi les exemples d'union douanière, on peut noter de nombreuses différences. Celles-ci ont trait à l'étendue et à l'importance des pays qui font partie de l'union, au but ultime visé, au laps de temps sur lequel on s'est entendu pour atteindre l'objectif de l'union et au type d'institutions créées en vue d'encadrer le processus puis l'union elle-même.

On note également des différences marquées entre les continents. En Europe, le processus d'intégration régionale a eu depuis le début, en 1951, un caractère et une finalité politiques. L'idée maîtresse sous-tendant ce processus était, et est toujours, de mobiliser les énergies du continent en vue d'accéder à une plus grande intégration politique entre les peuples et les pays européens. Certes, on ne s'entend pas sur le sens qu'il faut donner à cette unité politique, mais l'objectif demeure. L'unité européenne est un concept et un objectif profondément enracinés dans l'histoire et la culture de cette partie du monde. Sur le continent américain, soit en Amérique du Nord et en Amérique latine, les entités régionales existent essentiellement dans le but de créer des zones de libre-échange[9]. Elles visent à convertir les multiples unions et accords bilatéraux en unions et accords multilatéraux. La même règle vaut pour l'Océanie. En Asie, particulièrement en Asie de l'Est

[9] DE MEL, Jaim, et PANAGARIYA, Arvind, *The New Regionalism in Triad Policy,* World Bank, New York, 1992.

et du Sud-Est, ce mouvement se caractérise par la multiplicité des ententes de coopération *ad hoc,* soutenues par des traités bilatéraux ou chapeautées par des organisations multilatérales[10]. Il n'y existe, pour l'instant, aucune véritable union douanière, économique ou de libre-échange. On parle tout au plus d'une zone hémisphérique de libre-échange, mais sans connotation douanière ou politique, pour le premier quart du prochain siècle. Les pays africains et arabes se distinguent quant à eux par une quasi-absence d'entités économiques régionales effectives. En fait, ils connaissent une certaine régression par rapport à la situation qui prévalait au cours des années 1960 et 1970, alors que furent prises une foule d'initiatives qui donnèrent naissance à nombre de traités et d'institutions visant l'intégration économique. La plupart sont toujours là, mais sur papier seulement.

La multiplicité et la diversité des exemples d'entités régionales ou d'organismes de coopération économique ne nous permettent pas de tirer des conclusions définitives sur ce phénomène. Il est encore plus difficile de proposer des schémas de développement pour l'avenir. Mais il est possible de dégager certains faits.

Bien qu'ils soient subjugués par le principe et l'impératif de la compétitivité, les dirigeants de toutes les régions du globe donnent l'impression de très bien savoir que la richesse et le développement de leur pays seront aussi fonction du raffermissement des liens et des rapports de coopération avec les pays de leur région. Parallèlement, la plupart semblent percevoir la création de zones de libre-échange et d'unions douanières régionales comme de simples outils pour accroître la compétitivité de leur région face aux autres régions de la planète.

En second lieu, le processus d'intégration politique régionale demeure pour l'instant une spécialité européenne. On peut donc affirmer, selon toute probabilité, que si les tendances actuelles se maintiennent, la mise en place d'unions politiques intégrées régionales sera

---

[10] Voir *Globalisation and Regionalisation,* Centre de développement de l'OCDE, Technical Papers n° 61, avril 1992, et LEWIS, Jason D., « Southern Asia. Preparing for a New World Order », Washington Quarterly, hiver 1992, p. 187-200.

au mieux un phénomène très lent et sans grande ampleur. Si tel est le cas, la pertinence de la régionalisation comme moyen de situer l'économie mondiale sous le signe de la coopération à l'échelle de la planète pourrait s'en trouver ébranlée. Mais ce ne doit pas nécessairement être le cas. Chaque région, chaque continent peut suivre sa propre route vers la régionalisation sans nécessairement se référer au modèle européen. À chacun de trouver comment réunir les forces de la coopération économique pour les mettre au service d'une plus grande coopération entre les sociétés.

Or, il est évident, à la lumière des 40 dernières années, que toute véritable intégration économique ne peut se faire du jour au lendemain. Elle est l'aboutissement de l'ingéniosité, de la volonté politique et de la sagesse de plusieurs générations. C'est donc à long terme qu'il faut réfléchir à l'importance et au rôle de la régionalisation quant à l'instauration d'un système de gouvernement mondial efficace. En ce sens, personne ne peut prédire à quel point se trouvera, vers l'an 2015, le processus d'intégration régionale en Asie centrale, en Afrique du Nord, en Amérique centrale et en Asie du Sud. Deux conceptions inspireront et détermineront le destin que connaîtra la régionalisation au cours des 20 prochaines années ainsi que le rôle qu'elle jouera dans l'émergence d'un gouvernement mondial efficace.

La première découle des principes qui régissent l'économie de marché et qui prévalent en ce moment. Il s'agit d'une conception de l'histoire fondée sur un certain pragmatisme opportuniste. Dans un tel cas, l'intégration régionale est aujourd'hui jugée prioritaire, surtout parce qu'elle permet d'augmenter et de conserver la compétitivité des pays qui font partie des régions entièrement intégrées dans l'économie mondiale triadique.

Si cette conception devait prévaloir, on peut exprimer de sérieux doutes quant à l'apport de l'intégration régionale dans la mise en place d'un gouvernement mondial de type coopératif. En fait, si la guerre économique que se livrent les nations au nom de la compétitivité est remplacée par une course au leadership mondial à laquelle participeraient des blocs régionaux, toujours sous l'impératif de la concurrence, on ne peut pas dire que ce soit là un progrès. Le risque serait alors très grand de voir un ou deux de ces blocs dominer le reste du monde et d'assister à une «division aux ciseaux» entre les régions intégrées et les autres, les exclues. Certains soutiennent que la concurrence entre les différents blocs jouera en faveur de la stabilité mondiale. C'est parce que la guerre froide concernait deux superpuissances en quête de suprématie — disent-ils — qu'elle a réussi à faire régner la stabilité dans le monde durant au moins 30 ans. Dès lors, affirment-ils, il est plus facile de gérer les «conflits» économiques qui éclatent au sein d'un petit groupe de régions que ceux que se livrent des dizaines de pays de taille et de force inégales.

Si attrayante soit-elle, la thèse du «moindre mal» demeure partiale et non satisfaisante, particulièrement si on la considère comme un remède aux maux de demain. À l'heure de la globalisation, le passé n'est plus le garant de l'avenir.

La deuxième conception — celle d'un volontarisme humaniste et efficace — met de l'avant un codéveloppement social et politique constructif. S'appuyant sur le fait que le bien-être de l'humanité va de pair avec la reconnaissance des identités et des collectivités locales et nationales, cette philosophie estime que les formes institutionnelles de codéveloppement démocratique entre les différents groupes d'une même région constituent un instrument puissant de rapprochement. Elles permettent en effet d'accroître l'influence et le rôle des gouvernements des pays membres dans la promotion d'un développement mondial basé sur un accord entre les différentes entités régionales en vue d'une stratégie de redistribution de la richesse, comme c'est le cas au niveau national par le biais de la sécurité sociale. Mieux vaut donc, alors, commencer sur une base régionale.

Nul doute que la situation en Afrique serait grandement améliorée si certaines formes d'«unité africaine» avaient été déjà réalisées. L'avenir de ce continent sera plus rassurant lorsque seront mises en place des organisations coopératives subrégionales et panafricaines. C'est aussi le cas pour d'autre régions du monde. Mais, avant d'espérer donner un sens positif à l'approche régionale, il faudra faire en sorte que celle-ci soit autre chose qu'une simple façon pour les sociétés les plus pauvres de gérer ensemble leur pauvreté.

La régionalisation qui s'ouvre sur le codéveloppement représente une formidable occasion d'apprentissage commun dans les domaines de la démocratie politique, du pluralisme gouvernemental, de la gestion efficace de l'économie et de la solidarité sociale.

Bref, il ne faut pas minimiser l'importance et le rôle de cette approche à la seule lumière des événements récents. La théorie de la régionalisation repose sur des fondements assez solides pour que l'on fasse l'hypothèse qu'elle gagne du terrain et qu'elle devienne un jour la base d'organisation du nouveau monde global.

Si le temps est ici un facteur important, il joue un rôle encore plus significatif en ce qui concerne l'approche globale vers la gouverne mondiale.

L'approche globale

Cette approche se fonde également sur la nécessité d'harmoniser la direction des affaires politiques et sociales, qui repose encore sur l'État-nation «local», avec la direction d'une l'économie qui, elle, est de plus en plus mondialisée. L'approche globale vers la gouverne mondiale part du principe qu'il faut d'urgence concilier les prérogatives de la politique, de l'économie et de la justice sociale avec des procédures et des institutions se situant à l'échelle mondiale.

Cette approche se nourrit de multiples idées, perspectives et objectifs. Sa matrice culturelle et sociopolitique est faite de principes émanant d'une multitude de groupes. Elle peut recouvrir parfois des significations différentes qui, dans certains cas, ne sont pas entièrement compatibles.

Parmi les adeptes de cette approche se trouvent des «élites» dites éclairées. Ces élites des pays les plus riches et les plus développés de la planète, qui en sont aussi les leaders, sont très attachées à l'idée de la mondialisation. La Commission trilatérale de même que les cercles d'économistes, de politiciens et d'intellectuels qui gravitent autour d'organisations comme l'OCDE en constituent de bons exemples. Certes, ces élites sont divisées par des différences culturelles et par des divergences sur les plans économique et politique. En règle générale, cependant, elles s'entendent pour soutenir toutes les initiatives qui peuvent concourir à solidifier l'«intégration» économique, politique et culturelle à l'échelle planétaire. Il va de soi que les notions d'intégration et de désintégration ainsi que les facteurs qui y sont associés sont évalués et interprétés par ces personnes en fonction de leurs propres valeurs et intérêts. Néanmoins, elles insistent toutes sur la nécessité de créer des conditions et des mécanismes économico-politiques transnationaux qui, dans le respect des règles de l'économie de marché, devraient accélérer l'établissement d'un système de gouvernement mondial de l'économie capable d'élever le niveau de vie de la population mondiale.

Ces élites — devrait-on parler d'élites planétaires? — reviennent constamment sur l'idée de la «coopération mondiale» que rendent obligatoire l'expansion rapide de l'économie et de la technologie ainsi que les nouvelles conditions dictées par la sécurité militaire et démographique[11]. Mais dans quelle mesure ces élites peuvent-elles vraiment contribuer à la promotion de l'approche globale, compte tenu de leur adhésion aux principes et à l'idéologie de la compétitivité, qu'elles défendent avec tant d'ardeur? La contradiction est flagrante entre, d'une part, la priorité qu'elles accordent à la compétitivité en tant qu'objectif et, d'autre part, les attitudes et les comportements qu'elles encouragent au nom de l'approche globale. Dans l'esprit de ces groupes, l'approche globale n'est qu'un instrument subordonné au principe de la compétitivité, pour en assurer le meilleur fonctionnement.

Un deuxième groupe d'adeptes de l'approche globale est représenté par les organisations qui œuvrent en faveur de la défense et de la promotion des intérêts communs de l'humanité. Il s'agit le plus souvent d'éléments de la société civile mondiale qui gravitent autour des nombreux organismes chapeautés par les Nations Unies. Ces organisations ont déjà 50 années d'expérience. Elles ont en outre un langage et une rhétorique qui leur sont propres. Elles ont joué et jouent toujours un rôle déterminant dans la conception, le développement et le soutien de régimes non concurrentiels, et ce dans presque toutes les sphères de l'activité humaine.

---

[11] Parmi les nombreux exemples qu'on peut fournir de la contribution de ces groupes, citons le Forum économique mondial de Davos, en Suisse, le Tokyo Global Forum et l'International Sustainable Development Business Council. Au sujet de la Commission trilatérale, voir NYE, J. S., BIEDENKOPF, K., et SHINA, M., *Global Cooperation After the Cold War - A Reassessment of Trilateralism,* Commission trilatérale, New York, 1991.

Grâce à de nombreuses commissions (la commission Brandt sur le développement, la commission Palmer sur la sécurité, la commission Brundtland sur l'environnement et le développement), les membres de ce deuxième groupe ont réussi à faire accepter les principes de l'interdépendance mondiale ainsi qu'à démontrer l'urgence concrète d'une coopération universelle.

Les Nations Unies ont récemment créé une nouvelle commission — la Commission sur la coopération mondiale — qui a pour mandat de faire adopter par l'Assemblée générale des Nations Unies, en 1995, lors du 50e anniversaire de la fondation de cette dernière, une charte révisée de l'ONU visant à améliorer les conditions et les mécanismes qui permettront d'accroître l'efficacité de la coopération et de la gestion démocratique des affaires à l'échelle mondiale. Dans le cadre des célébrations qui marqueront ce 50e anniversaire, on s'attend à ce que de nombreuses initiatives et propositions en faveur d'un système de gouvernement mondial fassent l'objet de débats publics. Il est raisonnable de penser que la réaction des gouvernements et des États, qui sont les décideurs clés de l'ONU, sera plutôt réservée à l'endroit de propositions qui comporteront sûrement des innovations radicales. Cet événement sera néanmoins l'occasion de faire évoluer les esprits.

D'autres propositions doivent aussi être considérées. C'est le cas des idées avancées par Al Gore, alors qu'il était sénateur, dans son manifeste *Earth in the Balance. Forging a New Common Purpose,* qui plaide en faveur d'une intensification de l'approche globale[12]. Bien que le livre d'Al Gore soit surtout axé sur l'urgence et la nécessité d'une restauration de l'équilibre dans les rapports entre l'homme et la terre, le message livré dans les chapitres intitulés « A New Common Purpose » et « A Global Marshall Plan » est double. D'abord, il n'existe pas de véritable précédent au genre de réponse globale que la situation actuelle exige[13]; les lecteurs sont donc invités à reconnaître le fait que l'humanité aborde une nouvelle ère qui demande que soit instauré rapidement un système de gouvernement mondial. Ensuite, il faut de toute

---

[12] Earthscan Publications Ltd., Londres, 1992. Trad., *Sauver la planète: l'écologie et l'esprit humain,* Albin Michel, Paris, 1993.

[13] *Ibidem,* p. 295.

urgence élaborer un plan global qui fasse appel à la coopération à l'échelle mondiale, c'est-à-dire une sorte de plan Marshall planétaire. En vertu de ce nouveau plan, les nations riches affecteront des fonds au transfert vers le Tiers-Monde de technologies non dommageables pour l'environnement, et elles aideront les pays pauvres à stabiliser leur croissance démographique et à établir de nouveaux modèles de développement économique durable. Selon le vice-président Al Gore, «des mesures doivent être prises dans le cadre d'ententes mondiales, qui obligeront toutes les nations à agir de concert à l'intérieur d'un schéma général visant à assainir et à équilibrer les structures portantes de l'actuelle civilisation globale et ce, afin que le Tiers-Monde fasse partie intégrante de l'économie mondiale[14]». Pour que le plan Marshall mondial soit mis en œuvre, il n'est ni possible ni souhaitable d'établir une entité qui gouvernerait la planète tout entière. Il serait plus pratique d'opter pour un système favorisant la signature, après négociations, d'accords internationaux selon lesquels les parties devraient s'entendre sur un comportement qui soit acceptable à l'échelle mondiale.

Les conclusions auxquelles est parvenu le Japan Economic Research Institute dans son rapport «*Towards a New Global Design*», présenté en 1992, s'inspirent des mêmes préoccupations[15]. Celles-ci font ressortir la nécessité d'un projet global qui soit axé sur la paix et l'harmonie, de même que sur la démocratie, la liberté et la tolérance, auxquelles on parviendra en mettant en place les trois processus suivants:

- Un réseau à paliers multiples faisant appel aux principes de la subsidiarité et de la tolérance, d'après lesquels le pouvoir décisionnel se trouve entre les mains des paliers inférieurs les plus aptes à l'assumer. Dans certains cas, cela se traduira vraisem-

---

[14] *Ibidem*, p. 301.

[15] Voir *Towards a New Global Design*, Japan Economic Research Institute, Tokyo, 1992. Un autre apport intéressant du Japon est celui que la Japan Society for Technology a fourni dans son rapport, *A Proposal Concerning Technology and Human Welfare - Toward Building a Harmonious Global Society*, Tokyo, 1992. Le rapport se concentre sur trois éléments: l'harmonisation des systèmes sociaux à l'échelle mondiale, une approche fondamentale à la création d'un système social harmonieux, et une politique de base pour l'édification d'une société mondiale harmonieuse.

blablement par une décentralisation accrue ou une recomposition de l'ordre constitutionnel. Dans d'autres cas, il faudra penser à des regroupements supranationaux. Il convient d'aménager au sein et entre les sociétés des espaces décisionnels susceptibles de réduire le déficit démocratique qui afflige nos démocraties.

- Une organisation mondiale reposant sur la conviction qu'un nombre croissant de décisions nécessitent une vision globale des choses, et dotée d'une autorité réelle par rapport aux nations et aux groupes de nations. Une telle organisation mondiale exige la transformation de certains objectifs poursuivis par les organisations internationales actuelles (la libre circulation des capitaux, des biens et des services), ainsi que la création d'institutions mondiales capables de s'occuper directement des questions d'ordre planétaire (l'énergie et les ressources non renouvelables, la protection de l'environnement, l'exploration spatiale et la gestion des océans). Ces institutions mondiales devront trouver leurs propres sources de financement (au moyen de taxes perçues sur le pétrole ou le gaz carbonique, d'impôts directs auprès d'entreprises transnationales ayant un statut «mondial», etc.).

- Une entente portant sur les relations Nord-Sud et présentant notamment une politique mondiale de l'emploi, certaines modalités de redistribution des revenus et une généralisation de la protection sociale (assurances, soins de santé) et de l'égalité des chances (éducation).

Enfin, un troisième groupe d'adeptes aux principes de l'approche globale est constitué de ceux qui estiment que l'objectif principal vers lequel il faut tendre dès à présent est celui d'un «contrat social mondial». Parmi les membres de ce groupe figurent certains des éléments les plus actifs de la «nébuleuse de la société civile mondiale», dont la nature et le rôle ont été examinés au chapitre 1.

Les membres les plus actifs de la société civile mondiale sont ceux qui défendent le plus ardemment la notion d'«une seule planète pour tous». Selon eux, il faut accorder l'absolue priorité aux intérêts de tous les peuples et à l'intérêt général mondial, à l'aide d'institutions investies des pouvoirs nécessaires. Ils militent activement en faveur de la citoyenneté mondiale, du gouvernement mondial et de la démocratie mondiale. On trouve dans leurs rangs les nombreuses associations de volontariat et ONG (organisations non gouvernementales) qui œuvrent au nom d'un autre développement[16]. Ensemble, ils regroupent des millions de personnes.

Il se peut que les trois groupes d'adeptes de l'approche globale, qui ne sont liés entre eux d'aucune façon, débouchent sur des vues divergentes et sur des intérêts conflictuels. Ils contribuent cependant, de manière non planifiée et non coordonnée, à rendre crédible, à légitimer et à renforcer cette approche.

Même si certains trouvent irréaliste l'idée d'un système de gouvernement mondial procédant d'ententes globales tacites et explicites qui favorisent l'élaboration et la mise en application d'un contrat social mondial, on peut déduire de ce qui précède que ce contrat ne sera pas de l'ordre des solutions à courte vue que l'on tente d'apporter aux problèmes urgents et aux enjeux immédiats qui interpellent l'organisation actuelle de la planète. Il découlera plutôt de l'effet combiné des choix et des actes non concertés que des milliers d'organisations auront faits partout dans le monde, à cause d'une même conscience de la nouvelle ère mondiale dans laquelle nous sommes entrés, des mutations structurelles qui l'accompagnent et des enjeux majeurs qu'à long terme nous devons affronter.

---

[16] Il vaut la peine de mentionner certains des travaux produits par les membres de la nébuleuse. Voir AMIN, Samir, *Maldevelopment - Anatomy of a Global Failure,* Zed Books, Londres, 1990; MAYO, Ed., *1992 European Wealth, Third World Poverty?* World Development Movement, Londres, 1990; ELGIN, Duane, *Voluntary Simplicity.* Bantam Books, New York, 1982; URQUHART, Brian, et CHILDERS, Eskine, *A World in Need of Leadership - Tomorrow's United Nations,* Dag Hammerskjold Foundation, Uppsala, 1990. COX R. W., *Production, Power and World Order - Social Forces in the Making of History,* Colombia University Press, New York, 1987; MILIBAND, R., et PANITCH, L. (éd.), *The Socialist Register 1992. The New World Order,* Merlin Press, Londres, 1992; GILL, S., et LAW, D., *The Global Political Economy. Perspectives, Problems and Policies,* John Hopkins University Press, Baltimore, 1988. ROBERTSON, James, *Future Wealth - A New Economy for the 21st Century,* Cassel, Londres, 1989, et les rapports annuels de 1990, 1991 et 1992 de BROWN, Lester R., *et al., State of World,* W. W. Norton and Company, New York.

Encadré 6

Les enzymes de l'approche globale. Des exemples :

- Third World Network
- Development Alternative with Women for a New Era
- Association mondiale de développement
- The Asian Council for People's Culture
- Conferences on a More Democratic United Nations
- The World Order Models Project
- Global Exchange
- ATD-Quart Monde
- Amnistie Internationale
- Coordination Body for Indigenous Peoples' Organisations of the American Basin
- Fédération internationale pour le planning familial
- International Association for Community Development and Action
- The Friends of the Wilderness for Tropical Rainforest Campaign
- The United Nations of Youth
- Choosing our Future
- The International Popular Theatre Alliance
- Fédération abolitionniste internationale
- International Foundation for Development Alternative
- Fédération internationale des chrétiens pour l'abolition de la torture
- The International Organisation of Consumers Unions
- Permanent People's Tribunal
- The European Civic Forum
- Association internationale d'écologie
- African Network of Indigenous Environment and Development
- The Environment Liaison Centre International
- Association internationale pour l'éducation de l'enfance
- The World Foundation for Deaf Children
- Action for Rational Drugs in Asia
- Commission internationale des juristes

La prochaine étape : quatre contrats sociaux mondiaux

Façonné par l'économie, les idéologies, les migrations, les questions d'ordre environnemental et les communications, notre monde ne fait plus qu'un, et évolue à un rythme accéléré.

Un système de gouverne mondiale de type coopératif aura donc pour rôle de faire face à ces problèmes et de trouver des terrains d'entente qui permettront au plus grand nombre de suivre des directions à peu près semblables, non seulement dans un effort pour éviter certains dangers (comme la menace nucléaire, les conflits armés conventionnels et généralisés, les catastrophes environnementales), mais également afin de progresser sur la voie d'un bien-être matériel et non matériel dont pourra profiter l'ensemble de la population mondiale (qui atteindra les huit milliards en 2020).

Pour qu'une telle action de la part des citoyens et des collectivités devienne réalité, il convient :

- de définir et de s'entendre sur quelques principes fondamentaux partagés par tous;
- d'établir des contrats mondiaux qui reposent sur des choix délibérés faits par l'ensemble des intéressés;
- de mettre l'accent sur le moyen terme (le temps d'une génération) en définissant des priorités d'action claires et en souhaitant que les moyens et les outils de gérance du monde évoluent.

Principes et modalités de fonctionnement

Afin d'œuvrer pour la mise en place d'un système de gouverne mondiale efficace, il est essentiel à notre avis de poser les principes que voici:

- les instruments utilisés doivent être de caractère coopératif. C'est la condition préalable sans laquelle le principe d'efficacité ne tient pas. Alors que la concurrence économique est incapable par elle-même d'assurer le développement humain au sein de la société mondiale, la collaboration — qui signifie échanges, partage, négociations, buts communs — constitue non seulement un outil de mieux-être, de sécurité et de développement de longue durée de l'humanité, mais elle contribue également à l'avancement de la démocratie et aux fins qu'elle sert. La coopération permet un meilleur usage des ressources. Elle rend les personnes plus confiantes et plus efficaces;
- la société civile mondiale doit être soutenue, encouragée et prise en compte. Les différents types d'organisations et de groupes sociaux qui forment la société civile mondiale représentent un formidable instrument pour la démocratie. Les membres de la société civile peuvent rendre les enjeux plus visibles, contribuer à populariser la notion de responsabilité sociale, amener les institutions publiques à se montrer plus précises dans leurs décisions et être à la base de la mise en place de structures démocratiques. Ce principe suppose que les nouveaux acteurs font preuve de vitalité, et qu'ils s'engagent à partager les responsabilités;

- le principe de la responsabilité a son corollaire : les mesures prises au niveau local et les expériences vécues et réalisées dans un contexte local doivent être reconnues et appuyées systématiquement à l'échelle mondiale. C'est ce qui s'appelle le principe de la pertinence. En l'absence d'une telle reconnaissance, on risque de se priver de capacités créatrices dont nous aurions pourtant bien besoin. Des efforts d'imagination doivent donc être déployés par les entreprises transnationales, les organisations des Nations Unies, les organismes régionaux, ainsi que par les ONG, afin d'établir des liens forts entre les mesures novatrices qui sont prises à l'échelle locale.

- la notion de diversité culturelle doit être explicitement intégrée dans la façon de penser et d'agir de chacun. Le malaise social que suscite l'immigration dans de nombreux pays, la résurgence de la rhétorique et de l'attitude ethnocentriques, les tensions sociales que créent les conflits raciaux dans les grandes villes, le retour à certaines formes d'intégrisme religieux, sont autant de facteurs qui obligent à tenir compte de la diversité culturelle (principe de la tolérance universelle). Le caractère universel de cette pluralité est évident tous les jours et constitue une réalité à laquelle il est impossible de se soustraire. Il est essentiel de reconnaître cette diversité et de la voir comme un défi à relever.

Partant de ces principes, il est possible de tracer, de manière synthétique, les pistes de changement nécessaires et indispensables qui tiennent compte des enjeux et des défis analysés jusqu'ici.

Les mesures envisagées sont regroupées sous l'appellation de « tâches communes ». Celles-ci sont regroupées dans quatre contrats mondiaux (voir le graphique 14) visant à promouvoir le développement humain et social à l'échelle planétaire. Par eux, il faut chercher à :

- répondre aux besoins et aux aspirations de base de tous les individus ;

- assurer une reconnaissance réciproque et des échanges fructueux entre les différentes cultures ;

- mettre en place des instruments efficaces et démocratiques de gérance mondiale ;
- préserver de manière appropriée la diversité environnementale et biologique.

Par « contrat mondial », on entend l'identification et la promotion de principes, de modalités institutionnelles ainsi que de mécanismes et de pratiques économiques et financiers qui permettent d'allouer et d'utiliser toutes les ressources matérielles et non matérielles disponibles, d'une manière qui soit profitable à l'ensemble de la société mondiale et qui, surtout, réponde aux besoins fondamentaux des populations les plus démunies de la planète. Chaque contrat « mondial » vise à assurer la qualité la plus élevée de la croissance de la richesse mondiale du point de vue humain, social, économique, environnemental et politique.

Selon les données du Programme des Nations Unies pour le Développement et de la Banque mondiale, le segment de la population le plus pauvre de la terre, qui est constitué de 3,5 milliards d'individus, ne recueille que 5,6 % du revenu mondial. On évalue à environ 60 millions le nombre de personnes pauvres aux États-Unis et à 52 millions le nombre de pauvres dans la Communauté européenne, sans mentionner les quelque 80 à 100 millions de démunis de l'ancien bloc des pays de l'Est et de l'ex-Union soviétique.

C'est dire que les contrats mondiaux — qu'ils soient tacites ou explicites — sont destinés à faire fonctionner les principes, les modalités institutionnelles, les mécanismes et les pratiques économiques et financiers qui rendront possible la satisfaction des besoins fondamentaux de près de 4 milliards de personnes au cours des 25 à 30 prochaines années.

Graphique 14 — Les pistes d'un changement véritable

LES PRINCIPES

- Les outils utilisés et les dispositifs mis en place doivent être de nature coopérative (principe de l'efficacité).
- La société civile doit être soutenue, encouragée et prise en compte (principe de la responsabilité).
- Les mesures et les expériences locales doivent être systématiquement reconnues (principe de la pertinence).
- La diversité culturelle doit être explicitement acceptée (principe de la tolérance universelle).

LES TÂCHES COMMUNES : QUATRE CONTRATS MONDIAUX

LE CONTRAT DES BESOINS DE BASE « Suppression des inégalités »	LE CONTRAT CULTUREL « Tolérance et dialogue entre les cultures »
LE CONTRAT DE LA DÉMOCRATIE « Vers un système de gouverne mondiale »	LE CONTRAT DE LA TERRE « Mise en œuvre du développement durable »

L'ORIENTATION

UN SENTIMENT NOUVEAU D'APPARTENANCE
Aller au-delà de l'esprit de conquête

Le contrat des besoins fondamentaux : la suppression des inégalités

Soulager de la misère les populations les plus pauvres de la terre est un objectif réalisable. Il est en effet possible de fournir un toit aux 30 millions de sans-logis qui peuplent les États-Unis et l'Europe de l'Ouest ainsi qu'au nombre croissant de sans-abri en Russie. La même constatation s'applique aux centaines de millions d'autres habitants de la planète qui sont privés d'un logement décent.

Ce contrat vise les objectifs suivants :

- approvisionner en eau 2 milliards de personnes ;
- fournir un logement à 1,5 milliard de personnes ;
- faire en sorte que 4 milliards de personnes aient accès à des sources d'énergie à la fois efficaces et respectueuses de l'environnement.

Les composantes de ce contrat devront être précisées sur la base d'une série de négociations conclues entre des sociétés privées, des agences gouvernementales, des institutions financières et des fondations, des pays industrialisés et des pays en voie de développement. Ce type de contrat devrait nous permettre de renforcer les pratiques de la coopération et de promouvoir la culture des projets communs au service des besoins de base. En particulier, le premier contrat doit servir à stimuler la croissance d'industries manufacturières et tertiaires axées sur le développement social.

En ce qui concerne les mécanismes de mise en œuvre, l'initiative devra en revenir aux trois régions les plus développées de la planète et prendre la forme de résolutions adoptées conjointement par les Assemblées et Parlements de ces régions. Il faudra que ces résolutions engagent tous les gouvernements de tous les niveaux et invitent les entreprises nationales et multinationales intéressées ainsi que les fondations et les organisations bénévoles à participer à l'élaboration du cadre à l'intérieur duquel seront définis les projets concernant le logement, l'eau et l'énergie. Les résolutions devront aussi comprendre les moyens (notamment financiers) qui permettront de définir le genre de « pacte mondial » que les entreprises nationales et multinationales associées, les banques, les gouvernements et les associations nationales de tous les pays, concluront entre eux[17].

Les projets retenus recevront l'appellation de «projets de partenariat mondial». En retour, les entreprises et les autres institutions engagées dans ces projets seront désignées comme «partenaires mondiaux», ce qui leur donnera droit à des privilèges particuliers (immunité fiscale, diminution d'impôt, facilité d'accès à la main-d'œuvre, accès à l'information, etc.) dont sera assortie la mise en application du contrat.

Ces projets devront déboucher sur la promotion et l'utilisation des compétences et des matériaux locaux, sur la construction accélérée d'infrastructures, et sur la conception de programmes dont les assises technologiques permettront d'améliorer le développement durable et le sort de centaines de millions d'êtres humains.

Pour ce qui est de l'approvisionnement en eau potable, voici quelques données qui permettent de mieux saisir l'urgence du problème et d'identifier déjà les premières mesures à prendre[18]:

- chaque année, les maladies diarrhéiques attribuables à l'eau contaminée tuent environ deux millions d'enfants et provoquent quelque 900 millions de cas d'infection;
- entre 1,8 et 2 milliards de personnes n'ont pas accès à des sources d'eau potable, alors que dans le seul État de la Californie (qui a une population de 25 millions d'habitants), on dénombre 600 000 piscines;
- quelque 300 millions de personnes dans les zones urbaines et 1,3 milliard en milieu rural ne disposent d'aucune installation sanitaire;

---

[17] Pour ce qui est des mesures destinées à assurer l'approvisionnement en eau et en énergie de base, par exemple, des entreprises comme Hydro-Québec (au Québec), la Lyonnaise des Eaux (en France), l'Instituto Costaricano d'Electricidad (au Costa Rica), l'Indian Water Board (en Inde), pour ne nommer que celles-là, devront être mises à contribution, au même titre que les autorités nationales et internationales responsables de l'énergie et de l'environnement.

[18] Voir le Programme des Nations Unies pour le développement, *Human Development Report 1993*, New York, 1993.

- la pollution de l'eau entraîne une rapide diminution des stocks de poissons;
- l'épuisement des nappes aquifères cause des dommages irréversibles.

La pollution et la rareté de l'eau exigent que des mesures soient prises rapidement. La bonne volonté existe, et, dans l'ensemble, on sait ce qu'il faut faire. Les technologies sont aussi largement connues. S'il est possible de distribuer efficacement de l'eau à dix-huit millions de New-Yorkais, il devrait aussi être possible de le faire au Mali ou en Haïti. Ce qui manque cependant, c'est un cadre permettant de mobiliser ces énergies et ces connaissances. Des entreprises, des organisations gouvernementales et des fondations privées et publiques devront donc se charger d'organiser plusieurs conférences «stratégiques» au cours desquelles on définira un protocole d'entente contenant un plan d'action pour l'approvisionnement en eau de deux milliards de personnes d'ici 2005-2010. Le protocole d'entente sera soumis au financement de la Banque mondiale et des banques des régions concernées.

Pour répondre aux besoins en matière de logement, il conviendra, dans le cadre de projets globaux et sectoriels bien ciblés, d'utiliser à bon escient les savoirs et les techniques des collectivités concernées en même temps que les savoirs et les techniques des pays les plus développés. Cette façon de procéder favorisera l'adoption efficace de méthodes modulaires de construction, en les jumelant avec des projets communautaires déjà existants. L'autoconstruction est déjà un phénomène largement répandu dans les pays en développement. Pourquoi ne pas utiliser ce potentiel en lui donnant des assises technologiques plus solides? Les données ci-après nous prouvent à quel point les mesures à prendre sont urgentes[19]:

- on évalue à 100 millions environ le nombre de sans-logis;
- entre 1 et 1,5 milliard de personnes vivent dans un «logement» indigne de ce nom;

[19] CERAGIOLI, G., et MILONE, L., *op. cit.*

- de 2 à 3 milliards de personnes habitent un logement qui ne répond pas à leurs besoins;
- seules 1,5 à 2 milliards de personnes ont un logement approprié ou décent.

Dans les pays les plus démunis, la priorité devra être accordée à un ensemble de mesures aptes à encourager la construction locale et la rénovation des bâtiments existants de même que l'utilisation, l'amélioration et la diversification des matériaux locaux, en particulier en faisant appel à la fois aux techniques traditionnelles et à de nouvelles technologies. Il faudra privilégier les mesures contribuant à minimiser les coûts.

Dans les pays développés, où l'exclusion sociale constitue le problème le plus criant, on devra s'occuper de revitaliser les centres-villes et de les transformer en zones habitables pouvant accueillir des gens de tout âge, y compris des immigrants des pays moins développés. La construction de logis par les habitants eux-mêmes devrait être fortement encouragée. On pourrait à cette fin faire appel à des ONG capables d'agir à la fois dans les domaines du soutien au logement et de l'action interculturelle, ce qui faciliterait l'insertion raciale et sociale.

Le contrat culturel: la tolérance et le dialogue entre les cultures

Ce contrat a pour objet de promouvoir et d'appuyer les politiques et les campagnes favorisant la tolérance et le dialogue entre les cultures.

Il faut ici concevoir un programme d'action reposant notamment sur le recours extensif aux nouvelles technologies de l'information et de la communication et sur l'utilisation des espaces de communication et d'échanges que sont les écoles, les théâtres, les musées et les entreprises.

Sa mise en œuvre serait assurée par les institutions privées et publiques qui seraient prêtes à s'engager dans une telle aventure, et qui pourraient servir de lieux de discussion des nombreuses initiatives, grandes et petites, qui caractérisent ce contrat. Nous proposons qu'un nombre restreint de villes (de 40 à 50) de toutes les régions de la planète, de concert avec des médias locaux, commanditent une série de «Globalia» sur le modèle de l'Europalia lancé par la Belgique. Ces «Globalia» contribueront à sensibiliser davantage les différentes populations du monde à la connaissance et au respect des autres cultures et à susciter l'esprit de coopération à l'échelle mondiale. Ils pourraient y parvenir grâce à des expositions, des concerts, des films, des articles de journaux ou des programmes télévisés internationaux et mondiaux qui auraient lieu toutes les deux à trois semaines et qui traiteraient des différentes cultures et des interactions entre elles. Il faudrait inviter de grandes entreprises, par exemple Time & Warner et Bertelsman, les télévisions du monde arabe, de la Chine, de l'Inde, ainsi que les grands quotidiens à assurer le patronage, tous les deux mois et à la grandeur de la planète, de ces événements.

Parallèlement, un réseau d'universités devrait aussi mettre sur pied un programme du même genre que celui d'Erasmus, de portée mondiale, grâce auquel des étudiants pourraient effectuer des séjours d'apprentissage de trois ou six mois (l'objectif cible pourrait être de 100 000 étudiants par année pendant les trois premières années).

Un groupe de «petits pays» et d'ONG devraient aussi préparer périodiquement un *Rapport sur le dialogue entre les cultures* comparable au rapport sur le développement humain que produisent les Nations Unies.

Le dialogue entre les cultures devrait, en conséquence, devenir l'un des *modus operandi* présidant à la mise en application des trois autres contrats. L'intensification de ce dialogue par une multitude de moyens est en effet la voie la plus sûre pour édifier un nouveau monde global, fondé sur le respect de l'autre, et pour fortifier les bases d'un système de gouvernement mondial coopératif.

Le contrat de la démocratie : vers un système de gouvernement mondial

Ce contrat revêt une importance fondamentale. Sa pertinence et son urgence tiennent aux faiblesses profondes de l'actuelle mondialisation. La dissociation est en effet de plus en plus marquée entre, d'une part, le pouvoir économique structuré mondialement par les nombreux réseaux que des entreprises multinationales tissent autour de la planète, et, d'autre part, le pouvoir politique qui demeure organisé à l'échelle locale par des États dont les prétentions à une souveraineté exclusive correspondent de moins en moins à la réalité.

Dans ces circonstances, plus les institutions publiques nationales présument que la tâche primordiale de l'État consiste à veiller à ce que les entreprises multinationales du pays soient concurrentielles sur les marchés mondiaux, et plus ces entreprises sont amenées à croire qu'elles peuvent revendiquer en toute légitimité la gestion des ressources de la planète selon leurs propres principes de fonctionnement (privatisation, déréglementation et libéralisation) et en fonction de leurs objectifs (profit, compétitivité, rémunération des actionnaires).

Les mécanismes de démocratie représentative ne fonctionnent pas à l'échelle mondiale. À ce niveau, ce sont les structures de pouvoir oligarchiques qui dirigent, en tendant à se transformer en réseaux de plus en plus intégrés et efficaces, et en faisant fi des gouvernements nationaux.

Si les tendances actuelles se maintiennent, le monde sera bientôt gouverné, et non seulement sur le plan économique, par des réseaux privés d'entreprises apatrides. Ceux-ci créeront de nouvelles formes d'autorité, de légitimité et de contrôle politiques qui auront très peu à voir avec ce que nous avons l'habitude de désigner sous le nom de « démocratie ».

L'objectif du troisième contrat est de renverser ces tendances. S'il est loin d'être facile à réaliser, il ne constitue pas moins un réel impératif.

Sa composante principale sera la mise sur pied d'une campagne en vue d'instituer, d'ici l'an 2020, une Assemblée mondiale des citoyens. Ce projet peut sembler irréaliste et lourd. Pourtant, il est facile à concevoir. Il faut toutefois y mettre le temps et les efforts.

Dans un premier temps, l'Assemblée générale des Nations Unies devra convoquer une séance mondiale interparlementaire réunissant sur une base régionale ou continentale des parlementaires de toutes les sociétés politiques et étatiques existantes. Dans les cas de l'Europe ou de l'Amérique du Nord, il faudra prévoir une participation concertée de parlementaires supranationaux, régionaux et municipaux.

Cette réunion interparlementaire mondiale aura pour mission de faire des propositions concrètes quant à la convocation éventuelle des premières Assises générales de la planète. Les «États généraux» devraient rassembler côte à côte des parlementaires et des membres des gouvernements, des représentants de la société civile internationale, des délégués, des associations de villes, ainsi que des représentants de ces «élites éclairées» auxquelles nous faisions allusion plus tôt, sans oublier des décideurs issus des grandes multinationales. Pourquoi des «États généraux», une formule que d'aucuns considéreront comme dépassée?

Parce que, en l'absence d'un véritable substrat démocratique planétaire il est impensable qu'un groupe de citoyens, aussi bien intentionnés soient-ils, puisse prétendre «parler» au nom du genre humain. On ne peut décréter ou imposer l'existence d'une démocratie planétaire.

Ces États généraux tireront leur légitimité de la volonté librement exprimée par la réunion interparlementaire mondiale qui voudra sans doute y être étroitement associée. On peut aussi penser que l'Assemblée mondiale des citoyens qui en découlera sera un compromis et inclura des participants issus directement de la réunion interparlementaire et de l'Assemblée générale des Nations Unies. N'oublions pas que la démocratie, comme aimait à le rappeler Winston Churchill, est peut-être le pire des régimes, mais c'est le meilleur que nous possédons. À cela nous pourrions ajouter qu'on ne peut espérer arriver à une démocratie planétaire véritable en contournant les expériences démocratiques déjà existantes, aussi imparfaites soient-elles.

Il existe dans bien des domaines des exemples, très imparfaits certes et encore à l'état embryonnaire, d'assemblées mondiales de citoyens. Par exemple, l'Association internationale des cardiologues réussit, tous les quatre ans, à tenir une assemblée de 4 000 spécialistes, pour discuter de questions éminemment complexes, échanger des informations et en arriver à des consensus informels. Le Conseil mondial des Églises possède une structure de gestion comprenant un millier de représentants et qui se rencontrent tous les deux ans, durant un mois. Chaque année, des milliers d'associations internationales de toutes sortes se réunissent selon des modalités qui leur sont propres et qu'elles ont appris à modifier avec le temps. Il y a là des capacités et une expérience dont nous aurions intérêt à nous inspirer.

L'éventuelle assemblée mondiale des citoyens constituerait une étape majeure dans le processus de démocratisation de la société mondiale, pour au moins deux raisons :

- elle fournirait la première véritable occasion de faire valoir les exigences d'ordre social qui devraient guider l'évolution du monde actuel, et dont certaines ont été exprimées à Rio en 1992, à la Conférence des Nations Unies sur l'environnement et le développement ;
- elle autoriserait pour la première fois un nouvel acteur mondial, la société civile, à intervenir politiquement, à l'échelle de la planète. Elle serait ainsi en mesure d'agir en tant que partenaire solide des réseaux mondiaux des multinationales qui régissent seuls, pour l'instant, l'économie planétaire selon leurs propres intérêts.

Afin d'amener une telle assemblée mondiale à maintenir un haut degré d'efficacité et un solide ancrage dans la réalité il faudra promouvoir la création de plusieurs réseaux parallèles et entrecroisés de représentants et de responsables politiques. Par exemple, plusieurs réseaux intervilles existent déjà et ils remplissent un rôle positif. Il conviendrait de les renforcer et éventuellement d'en faire les bases de structures représentatives mondiales capables de mener à bien des projets conjoints (comme ceux qui sont mentionnés plus haut, au sujet de l'approvisionnement en eau et de la construction de logis).

En second lieu, il faudrait aussi mettre sur pied des réseaux mondiaux d'organisations scientifiques. Un grand nombre d'associations sont déjà établies à l'échelle internationale, et leur valeur n'est plus à démontrer. Elles ont cependant le défaut d'être trop fragmentées et surspécialisées. Le moment est venu pour les scientifiques et leurs organisations professionnelles d'apprendre à travailler ensemble à des projets de recherche-action où la science et la technologie serviraient à trouver des solutions efficaces aux problèmes mondiaux les plus urgents et les plus aigus. Certains de ces projets sont actuellement en cours de réalisation (« Le changement global », « L'homme et la biosphère »). Mais il est nécessaire d'amener les scientifiques à se préoccuper des intérêts prioritaires des populations les plus démunies de la terre et non plus uniquement de ceux de la compétitivité entre les pays les plus puissants et les plus riches. Parmi les réseaux mondiaux nouveaux devrait figurer en priorité le «Conseil mondial du savoir» (dont nous parlons dans le contrat suivant).

Le contrat de la terre : le développement durable

Le dernier contrat concerne le respect et l'accélération de la mise en œuvre des engagements pris et des prescriptions adoptées par plus de 130 gouvernements à la Conférence de Rio.

Ces engagements et prescriptions sont regroupés dans un document intitulé le Programme 21. Celui-ci traite à la fois des besoins urgents auxquels il faut dès à présent répondre et de la nécessité de nous préparer aux défis que nous réserve le XXIe siècle. Il reconnaît, en outre, la responsabilité qui incombe aux gouvernements de favoriser le développement durable et invite le plus grand nombre possible de personnes à participer à la réalisation des objectifs du Programme. Enfin, il souligne l'importance d'assurer une aide financière efficace aux pays en voie de développement[20].

Conformément au Programme 21, plusieurs plans d'action pour le développement durable ont été approuvés au niveau national et par d'autres instances. Les Nations Unies, pour leur part, ont formé des groupes chargés de réaliser les engagements pris lors du Sommet de Rio (en particulier la ratification des ententes ayant trait aux changements climatiques et à la biodiversité). Le contrat que nous proposons ici devrait permettre de faciliter cette réalisation. Sans l'apport des entreprises multinationales, le Programme 21 risque en effet de demeurer un énoncé de vœux pieux.

On devrait donc confier à une table ronde euro-américano-japonaise d'industriels et de banquiers la tâche de proposer aux 1000

[20] Le Programme 21 privilégie quatre orientations (1) les dimensions sociales et économiques du développement durable, (2) la conversation et la gestion des ressources, (3) le renforcement du rôle des groupes de base, et (4) l'efficacité et la pertinence des modes de mise en œuvre. Le Programme 21 est accompagné de documents annexes qui en balisent l'orientation : *La Convention mondiale sur les changements climatiques, la Convention sur la diversité biologique et l'Énoncé des principes sur les forêts.*

plus grandes entreprises de la planète (et aux autres qui seraient disposées à le faire) de signer un contrat mondial portant sur des projets précis, issus du Programme 21. Ces «grands travaux» planétaires recevraient l'appui financier des entreprises elles-mêmes ainsi que des institutions financières internationales existantes ou nouvellement créées. Les entreprises participantes seraient admissibles au titre de «partenaires mondiaux» (voir le premier contrat).

Contrairement aux nombreux plans de développement déjà existants, ces grands travaux du XXIe siècle auraient une portée planétaire et seraient réalisés localement par des réseaux d'acteurs et d'entreprises locales. Les 1000 plus importantes entreprises de la terre, qui connaissent bien les complexités de ce genre de maillage, ne devraient pas se trouver prises au dépourvu.

Comme preuve de son efficacité, la table ronde euro-américano-japonaise d'industriels et de banquiers devrait élaborer elle-même l'un des contrats mondiaux et le mettre en œuvre dans le cadre des manifestations organisées pour célébrer le 50e anniversaire de la création de l'ONU.

Le financement de ces grands travaux ne sera possible que si l'on revoit de fond en comble les institutions internationales économiques et financières issues des accords de Bretton Woods (notamment le FMI et la Banque mondiale). Il est devenu aujourd'hui évident que ces institutions doivent fonctionner sur de nouvelles bases.

L'une des nombreuses solutions envisageables, pour rajeunir les structures économiques et financières mondiales actuelles, c'est de transformer la nouvelle Organisation mondiale du commerce en une Organisation du commerce et de la coopération entre les régions.

La régénération de l'économie mondiale passe aussi par l'abandon de l'idéologie et de la stratégie des 3 D propre au FMI et à la Banque mondiale, à savoir la *déflation*, la *dévaluation* et la *déréglementation*[21]. La statégie des 3 D, et la politique de rajustement structurel systématique qui l'accompagne a eu souvent des effets désastreux pour les régions pauvres. Bien des pays n'ont pu suivre le rythme imposé par

---

[21] Cette analyse s'inspire de l'ouvrage de HOLLAND, Stuart, *Towards a new Bretton Woods: Alternative for the Global Economy,* rapport FAST, Commission de la Communauté européenne, FOP 325, Bruxelles, mai 1993.

ces ajustements forcés et se retrouvent aujourd'hui encore un peu plus loin derrière. La transition vers la démocratie s'en trouve nécessairement menacée. Prétendre appliquer la stratégie des 3 D également partout risque d'occasionner des réveils brutaux. Le choc en retour sur les pays riches ne s'en trouve que décalé dans le temps.

Pour inverser cette tendance, la stratégie des 3 D devrait être modifiée en stratégie des 3 R: la Reprise de la croissance et des échanges commerciaux, la Restructuration des relations entre le pouvoir économique privé et le pouvoir public et la Redistribution des ressources comme moyen de soutien à la reprise.

Dans cette perspective, il conviendrait de constituer des réseaux mondiaux décentralisés de codéveloppement, résultant de la réorganisation et de fusion des activités actuelles de la Banque mondiale, du FMI, du PNUD, de l'UNICEF, de la FAO, de l'UNESCO et du BIT. Les organismes d'intérêt public doivent être de toute urgence profondément transformés et restructurés s'ils veulent agir avec efficacité et traverser sans heurt le cap d'une mondialisation qui leur échappe de plus en plus.

La réorganisation de la Banque mondiale et du FMI devrait viser à modifier l'actuel système hiérarchique de ces organismes, selon lequel les pays riches décident seuls de ce qui est bon ou mauvais pour les autres. Il faudrait que ce soit là l'occasion d'instaurer graduellement un réseau d'agences décentralisées (régionales et transnationales), en vue d'un partenariat efficace entre pays riches et pays pauvres. Les réseaux de codéveloppement constitueraient des fonds d'investissement à court terme et des banques de développement à long terme. Ils se feraient les instigateurs d'une gamme étendue d'ententes mondiales ou régionales sur le modèle de la convention de Lomé), ou encore de «projets intégrés». Ces réseaux auraient pour assises des groupes de travail et des partenariats avec les secteurs privé et public, auxquels seraient reliés non seulement les agences financières et économiques internationales, mais également des organismes sans but lucratif (telles les fondations) ainsi que des associations bénévoles.

Dans ce contexte, nous verrions d'un bon œil la création d'un Conseil mondial du savoir. L'objectif principal de ce conseil serait de promouvoir, dans le cadre de projets spéciaux confiés en partenariat aux secteurs privé et public, l'utilisation des connaissances et des technologies actuelles de manière à:

- mettre en valeur l'aptitude des populations locales à innover;
- exploiter le savoir-faire et l'ingéniosité des individus afin de répondre à leurs besoins de base, dans un contexte de développement Nord-Sud constructif;
- encourager et organiser, avec efficacité et esprit de coopération, le transfert du savoir dans une optique Sud-Sud et non seulement Nord-Sud, cette dernière optique étant nécessairement fondée sur des rapports inégaux.

Le Conseil mondial du savoir aurait en outre pour tâche de recruter, pour chaque projet, des scientifiques, des technologues et des gens d'affaires novateurs — originaires surtout des pays défavorisés — qu'il affecterait à la conception, au perfectionnement et à l'implantation de nouvelles connaissances et technologies. Faute d'une approche intégrée, le transfert du savoir et de la technologie continuera à se faire à sens unique (des régions développées à celles qui le sont moins), et il se butera à des obstacles de plus en plus difficiles à surmonter. La «transplantation» sera en effet de moins en moins possible, en raison de l'élargissement du fossé qui sépare les pays développés des régions pauvres sur le plan socio-économique et politique et qui bloque à ces dernières l'accès à des conditions permettant d'élaborer, d'améliorer et d'utiliser les connaissances et les technologies nouvelles.

Les villes peuvent jouer ici un rôle de premier plan. La mondialisation économique a fait d'elles des acteurs de premier plan. C'est vrai pour ces villes dites «mondiales» que sont New York, Londres et Tokyo[22], ce l'est aussi de Paris, dans la sphère culturelle, ou Amsterdam, Copenhague, Francfort, Zurich, Los Angeles, Osaka, Milan, San Francisco, Singapour, Montréal, Chicago et Houston,

[22] À ce sujet, voir SASSEN, Saskia, *The Global City. New York, London, Tokyo,* Princeton University Press, New York, 1991.

chacune dans des secteurs différents. Partout, les villes sont de plus en plus nombreuses à élaborer des politiques autonomes par rapport aux volontés des gouvernements nationaux ou régionaux. Elles font aussi de plus en plus partie de leurs propres réseaux internationaux et mondiaux. À bien des égards, les villes constituent, davantage que l'État-nation, un cadre accueillant, souple et ouvert à la participation pour la mise sur pied de projets faisant appel à la collaboration. Elles représentent de plus en plus l'un des piliers du nouveau monde global.

*

* *

Être (le contrat de la démocratie), **Avoir** (le contrat visant à satisfaire les besoins fondamentaux de plus de trois milliards de personnes), **Vivre ensemble** (le contrat de la terre) et **Dialoguer** (le contrat culturel) forment les éléments clés de ce que nous entendons par «travailler ensemble à l'établissement d'un contrat mondial et à l'avènement d'un gouvernement mondial de type coopératif».

CONCLUSION

L'hégémonie n'est pas la solution

Nous avons décrit les forces qui nous relient à un nouveau monde global, grâce surtout aux systèmes de communications qui sillonnent notre planète et qui créent un sentiment profond d'interrelation.

Nous avons réaffirmé la complexité de l'univers dans lequel nous évoluons en décrivant la mondialisation de l'économie, la capacité limitée des écosystèmes à soutenir la vie, les menaces qui pèsent sur la démocratie politique à l'échelle planétaire, la puissance du potentiel scientifique et technologique, la montée massive des sentiments d'injustice et d'exclusion sociale, la faiblesse du dialogue et de la tolérance sur le plan culturel.

Surtout, nous nous sommes arrêtés à analyser les limites de la compétitivité et les résultats paradoxaux et contradictoires auxquels les excès de la compétitivité peuvent conduire. Nous avons montré que l'impératif de la concurrence économique est incapable de gouverner seul la planète et que la logique de la conquête — des marchés et du pouvoir économique et financier — en vue de dominer le monde constitue une vision surannée et irréaliste des choses. En conséquence, nous avons indiqué qu'une forme de gouverne reposant sur la coopération et la cohabitation était la route à suivre, à laquelle nous proposons de greffer quatre contrats mondiaux.

Mais il reste plusieurs questions auxquelles aucune réponse n'a encore été trouvée. Le nouvel ordre du jour de la planète n'est pas fermé.

Questions non tranchées

La première de ces questions est d'une importance cruciale.

Qui élaborera ces contrats mondiaux? Qui en seront les «signataires»? Qu'est-ce qui nous permet de croire que les gouvernements nationaux, les réseaux mondiaux des multinationales, les syndicats, les associations bénévoles, les groupes ethniques, les Églises, les universités et les militaires seront disposés à travailler de concert en vue de satisfaire les besoins et les aspirations de base de la population mondiale, en particulier des plus pauvres ?

Trois agents sociaux peuvent intervenir dans la conception, la mise en œuvre et la promotion des contrats mondiaux et devenir les véhicules explicites qui en favoriseront la signature. Il s'agit d'abord de la société civile mondiale. Il s'agit ensuite des nouvelles élites mondiales, qu'elles soient issues du monde académique ou scientifique, de l'industrie, du monde des services, des gouvernements, des organisations internationales ou des médias. Ces élites fonctionnent déjà à l'intérieur d'un univers de références où prédominent la coopération et la concertation. Les villes et les institutions municipales sont aussi devenues des éléments de plus en plus importants dans les politiques et les stratégies de mondialisation des acteurs publics et privés. Par ailleurs, c'est au niveau des villes que se manifestent déjà tous les problèmes et les effets dévastateurs de la gestion économique et sociale actuelle, tels la pauvreté, l'exclusion sociale, la violence, l'intolérance, la dégradation environnementale. Les villes nous apparaissent donc comme les acteurs sociaux de type gouvernemental les mieux placés pour aborder le prochain millénaire.

La seconde question est de nature psychologique. La célébration, en 1992, du 500e anniversaire de la «découverte» par les Européens du Nouveau Monde a sensibilisé les gens au fait que cette découverte a profondément modifié, et rarement pour le mieux, le cours de l'existence de millions de personnes et le visage de continents tout entiers. Elle a en particulier ouvert la voie à l'émergence d'un monde global, et elle a favorisé la prédominance de «nouvelles» valeurs mondiales, telles que la concurrence entre les nations en vue de conquérir et de dominer l'univers. Elle a en outre provoqué la création d'empires coloniaux à l'échelle de la planète. On peut voir à la fois une analogie et une continuité entre l'ère de concurrence à laquelle a donné lieu la découverte du Nouveau Monde, il y a cinq siècles, et celle dans laquelle nous nous engageons présentement. Il ne faut pas que l'histoire se répète au cours des 500 prochaines années. Il importe donc, dans un avenir tant immédiat que lointain, de ne pas entretenir cet esprit de conquête qui a présidé à la domination de la nature, des peuples et des nations. Individus, groupes, organisations, nations et régions, sommes-nous prêts à étouffer ce désir de suprématie au profit de la coopération et de la solidarité?

Pour le moment, dans notre monde global moderne, trois puissantes entités (les États-Unis, l'Europe occidentale et le Japon) se partagent la gérance des politiques mondiales et le pouvoir militaire et économique. Dans ce contexte, le Japon et, en général, le Sud-Est asiatique passent pour être la puissance mondiale la plus dynamique. À long terme, d'autres pays de cette région finiront par devenir membres du club des grands de ce monde. Plus important encore, nous constatons que les pays ne sont plus seuls en scène, le cadre national demeure certes fondamental, mais il est de plus en plus traversé par des entreprises transnationales qui ont perdu, en partie, leur appartenance à une nationalité précise et qui agissent en dehors de tout contrôle démocratique et représentatif de l'intérêt général. Les réseaux mondiaux des multinationales sont-ils capables de modifier (et disposés intrinsèquement à le faire) une telle situation et de promouvoir la transparence démocratique et la responsabilité sociopolitique dans la gérance des affaires mondiales?

La troisième question est d'ordre politique. Il nous faut reconnaître que notre monde n'est pas encore parvenu au stade de l'utopie kantienne (celui de la paix universelle). Nous vivons plutôt dans un univers désintégré, caractérisé par une division de plus en plus prononcée entre le monde «intégré» et le monde des «exclus». Les facteurs qui favorisent cette division sont les plus forts, car nous nous en remettons encore aux vieilles notions de l'internationalisation mondiale et de la compétitivité économique pour la conquête et la maîtrise des marchés. Alors, jusqu'à quel point les peuples, les villes et les régions de l'Amérique du Nord, de l'Europe de l'Ouest, du Japon et de l'Asie du Sud-Est voudront-ils signer des contrats, entre eux aussi bien qu'avec les autres, déterminant ensemble les mesures et les engagements à prendre afin d'étendre à tous les continents la capacité d'être des sujets actifs et de produire la richesse? Ce faisant, tiendront-ils compte de la préservation des ressources naturelles et seront-ils soucieux d'équité entre les habitants de la planète, cette planète rendue petite par l'explosion démographique, les innovations technologiques et les méga-infrastructures industrielles et tertiaires? Satisferont-ils les attentes que partagent des milliards d'individus pour ce qui est de l'amélioration des conditions humaines et sociales?

Et comment faire pour parvenir à la «conclusion» d'un pacte mondial de coopération dans un avenir qui ne soit pas trop éloigné?

Le pacte de la première génération planétaire

Le chemin qui mènera vers la mise en application des quatre contrats mondiaux sera long et semé d'embûches. Les objectifs de ces quatre contrats sont néanmoins réalistes et réalisables. L'initiative des quatre contrats mondiaux doit revenir à l'Europe occidentale, à l'Amérique du Nord et au Japon. Leur définition et leur mise en œuvre doivent cependant résulter des négociations et des accords entre les différents peuples de la planète, cette première génération planétaire que nous formons tous.

> Au lieu de mettre leurs immenses ressources humaines, technologiques et matérielles, leur expérience organisationnelle et leur puissance politique au service de la lutte qu'ils se livrent pour acquérir l'hégémonie technologique, pour remporter la course à la concurrence économique et pour dominer le monde au XXIe siècle, le Japon, l'Amérique du Nord et l'Europe de l'Ouest doivent montrer, en proposant le «Pacte de coopération», qu'ils sont capables d'utiliser à des nobles fins et de manière fructueuse et efficace leurs ressources, leur expertise et leur puissance.

L'initiative en faveur d'un pacte de gérance coopérative mondiale implique que l'Europe de l'Ouest, l'Amérique du Nord et le Japon:

- auront défini au préalable les grandes lignes des contrats «sociaux» mondiaux;
- agiront auprès des autres régions du globe comme les défenseurs crédibles d'une nouvelle entente mondiale;
- auront identifié les moyens nécessaires pour que les quatre contrats mondiaux soient mis en œuvre avec succès.

L'Europe occidentale, l'Amérique du Nord et le Japon devront profiter du 50e anniversaire de la fondation des Nations Unies afin de tracer la voie à un millénaire qui ne sera pas uniquement celui de la lutte pour la survie et pour la domination.

Non, l'hégémonie n'est pas la solution.

LISTE DES TABLEAUX ET DES GRAPHIQUES

TABLEAUX

1. Les «pilotes» de la mégamachine du transport aérien, 1990-1991 — 38
2. Les «conducteurs» de la mégamachine mondiale de la voiture 1990, (en millions d'écus) — 40
3. Les concepts de la mondialisation — 59
4. Principales alliances stratégiques entre les acteurs clés de l'industrie automobile — 72
5. Croissance des nouvelles alliances stratégiques, de 1980 à 1989 — 75
6. Balances commerciales bilatérales de l'Union européenne en 1992 (en milliards d'écus) — 92
7. Répartition des alliances technologiques stratégiques interentreprises, par secteur et par groupe de pays, 1980-1989 — 133
8. Part relative du marché mondial des produits manufacturés — 135

GRAPHIQUES

1. Les exportations et la production dans le monde — 54
2. AT&T dans le monde. Un exemple de multinationalisation économique (1990) — 56
3. Circulation des capitaux dans le monde selon leur origine — 67

4. Circulation des capitaux dans le monde selon leur destination 67
5. L'effet de l'abaissement des normes de travail sur le PNB 83
6. Le PIB et la croissance de l'emploi dans les pays industrialisés, de 1960 à 1987 84
7. Regroupement des pays développés selon leur position dans le commerce mondial 95
8. Entre l'égoïsme et l'intérêt planétaire 100
9. Coût de la R-D pour la conception de mémoires DRAM 126
10. Part des échanges régionaux de produits manufacturés (en % du commerce mondial total) dans le commerce mondial, 1970 et 1990 136
11. Scénarios de mondialisation; axes éventuels des configurations du monde global 146
12. Six scénarios de mondialisation: une approche statique 147
13. Une approche dynamique des scénarios de la mondialisation 155
14. Les pistes d'un changement véritable 204

TABLE DES MATIÈRES

Des *Limits to competition* aux *Limites à la compétitivité* 9

Remerciements 11

INTRODUCTION
Des buts pour la planète 13

CHAPITRE 1
Un monde global en gestation 31
Images d'un monde global 34
La réorganisation de l'économie et de la société mondiales 51
Implications et conséquences 78

CHAPITRE 2
Le nouveau «monde global» à l'heure de la compétitivité 97
Les problèmes de la transition 99
Caractéristiques du nouveau «monde global» concurrentiel 120

CHAPITRE 3
La compétitivité peut-elle gouverner la planète ? 139
Un choix critique 141
La solution prédominante : la compétitivité 156

CHAPITRE 4
Vers une gouverne mondiale efficace 177
Le processus et les modalités 180
L'émergence de régimes non concurrentiels 189
La prochaine étape : quatre contrats sociaux mondiaux 200

CONCLUSION
L'hégémonie n'est pas la solution 219

Liste des tableaux et des graphiques 227

Typographie et mise en pages:
Les Éditions du Boréal

Achevé d'imprimer en février 1995 sur les presses de AGMV inc.,
à Cap-Saint-Ignace, Québec.